L'invention

d'un regard

(1839-1918)

cent cinquantenaire
de la photographie, XIXe siècle

Musée d'Orsay /
Bibliothèque nationale

L'invention

d'un regard

2 octobre -
31 décembre 1989

(1839-1918)

cent cinquantenaire
de la photographie, XIXe siècle

Ministère de la Culture, de la Communication,
des Grands Travaux et du Bicentenaire

Editions de la Réunion des musées nationaux
Paris 1989

Cette exposition a été organisée
par la Réunion des musées nationaux / Musée d'Orsay
et la Bibliothèque nationale

Sa présentation a été conçue par Pylone

Couverture
A. Bilordeaux
Main drapée. 1864
Bibliothèque nationale

ISBN 2-7118-2308-3

Commissariat :

Françoise Heilbrun
Conservateur au Musée d'Orsay

Bernard Marbot
Conservateur au département des estampes
et de la photographie de la Bibliothèque nationale

Philippe Néagu
Attaché principal au Musée d'Orsay

Directeur du Musée d'Orsay : Françoise Cachin

Que toutes les personnalités qui ont permis par leur généreux concours la réalisation de cette exposition trouvent ici l'expression de notre gratitude et tout particulièrement :

M. Werner Bokelberg
M. Joachim Bonnemaison
M. Jean-Michel Braunschweig
M. Serge Kakou
M. Hans P. Kraus Jr
M. Gérard Levy
M. et Mme Harry Lunn

ainsi que toutes celles qui ont préféré garder l'anonymat.

Nos remerciements s'adressent également aux responsables des collections suivantes :

Canada
Montréal
    Centre canadien d'architecture
Ottawa
    Musée des Beaux-Arts du Canada

Etats-Unis
Malibu
    The Paul J. Getty Museum
New York
    Gilman Paper Company
    The Metropolitan Museum of Art
    The Museum of Modern Art
Rochester
    International Museum of Photography at George
    Eastman House
Washington
    Library of Congress
    National Gallery of Art
    National Portrait Gallery

France
Beaune
    Musée Marey
Colmar
    Archives départementales du Haut-Rhin
    Musée d'Unterlinden

Paris
    Association des Amis de Jacques-Henri Lartigue
    Bibliothèque centrale du Muséum d'histoire
        naturelle
    Bibliothèque de l'Ecole nationale des Beaux-Arts
    Bibliothèque de l'Observatoire
    Bibliothèque des arts décoratifs
    Bibliothèque Forney
    Bibliothèque historique de la ville de Paris
    Bibliothèque nationale, Département des
        estampes et de la photographie
    Collège de France
    Direction du patrimoine, Archives
        photographiques
    Ecole nationale des Ponts et Chaussées
    Maison de Victor Hugo
    Manufacture nationale de Sèvres, Service des
        archives
    Musée Carnavalet
    Musée de l'Assistance publique
    Musée national d'art moderne
    Musée d'Orsay
    Photothèque de la brigade des sapeurs pompiers
        de Paris
    Service historique de la Marine
    Société française de photographie

Grande-Bretagne
Bath
    Royal Photographic Society
Bradford
    The National Museum of Photography, Film and
        Television, part of the National Museum of
        Science and Industry
Edimbourg
    Scottish National Portrait Gallery

Italie
Rome
    Fondation Primoli

Nous voulons tout d'abord exprimer notre reconnaissance, pour le temps et l'attention qu'ils nous ont consacrés lors du choix des œuvres de cette exposition à Mmes, Mlles, MM. :
Pierre Apraxine, Martine d'Astier, James Borcoman, André Fage, Peter Galassi, David Harris, Marie-Thérèse et André Jammes, Susan Kismaric, François Lepage, Gérard Levy, Maria Morris-Hambourg, Richard Pare, Françoise Reynaud, Christiane Roger, Nicolas Sainte Fare Garnot, Josyane Sartre, Marie de Thezy, Ann Thomas, Stanley Triggs.

Nous tenons également à remercier de l'aide qu'ils nous ont apportée lors de nos recherches à Mmes, Mlles, MM. :
Josette Alexandre, Françoise Autric, Karine Blanc, Werner Bokelberg, Pierre Bonhomme, Joachim Bonnemaison, Beverly Brannan, Jean-Michel Braunschweig, Henri Cazaumayou, Christine Delangle, Monique Ducreux, Guy Femel, Guy Giraudeau, Paul Goodman, Sophie Grossior, Edwidge Herault, Serge Kakou, Christian Kempf, Hans P. Kraus Jr., Yves Laporte, Erik Le Maresquier, Anne-Claude Letieur, Harry Lunn, Bernard Marrey, Catherine Mathon, Alicia Miller, Weston Naef, Alain Sayag, Nadine Simon, Robert A. Sobieszek, Alain Sourdille, Sara Stevenson, Véronique Van de Ponseele, Michel Yvon, John Walsh.

Enfin que soient assurés de notre gratitude tous ceux qui ont participé à la préparation de l'exposition et du catalogue :

Claire Filhos-Petit, Léone Nora, Nathalie Michel, Françoise Le Barbier, Anne Laguarigue, Marie Lionnard, de la Réunion des musées nationaux;

Radjeevi Filatriau, André Lejeune, Patrice Schmidt, Jean-Jacques Sauciat, Christian Garoscio, André Fourcade, Laurent Stanich, Alexis Brandt, Françoise Fur, Manou Dufour, Eve Alonzo, Elisabeth Salvan, et Aggy Lerolle, Caroline Mathieu, Aïcha Kherroubi, Patricia Oranin du Musée d'Orsay;

et tout particulièrement Maryse Menard qui nous a assistés lors de la préparation de l'exposition ainsi que Caroline Benzaria et Laurence Robert.

Sommaire

Introduction

Cette exposition a pour but de montrer à un large public que, déjà, la photographie du XIXe siècle, fut comme tout nouveau moyen d'expression artistique un prodigieux révélateur de formes inédites, un éducateur pour l'œil. Elle a transformé peu à peu la sensibilité visuelle — non seulement celle des artistes, peintres, photographes ou écrivains, véritables plaques sensibles, qui furent les premiers à faire leur miel de cette expérience, mais celle de tout un chacun, sans oublier ceux qui parlent encore de la photographie avec indifférence ou avec dédain.

Même si, dès les débuts de l'invention quelques «primitifs» issus des milieux artistiques ont voulu pratiquer la photographie en créateurs, entraînés notamment par le Français Gustave Le Gray, ou l'Anglais Roger Fenton, ce n'est qu'au début du XXe siècle que la dimension artistique de la photographie a été universellement reconnue. D'où le titre de l'exposition du Musée d'Orsay : *L'invention d'un regard,* alors que celle présentée en même temps à Beaubourg, consacrée à la photographie du XXe siècle, s'intitule : *L'invention d'un art*[1].

Sans doute l'action particulièrement intelligente de certains photographes pictorialistes au tournant des XIXe et XXe siècles, tel Alfred Stieglitz, n'a-t-elle pas été absolument étrangère à la reconnaissance définitive de la photographie créatrice.

C'est pourtant en Allemagne pendant la troisième décennie du XXe siècle, dans le cadre du Bauhaus, que la photographie a été pour la première fois enseignée comme une discipline artistique à part entière. L'initiative en revenait à Lazlo Moholy-Nagy. Il fut le premier artiste plasticien à savoir défendre dans ses écrits et en particulier dans la première édition de *Malerei, Photographie, Film,* en 1925[2] les potentialités créatrices de la photographie en termes qui définissent parfaitement les spécificités du médium et ne se contentent plus d'adopter, de façon assez ambiguë, un langage hérité de la critique picturale. Cela avait été l'écueil, non seulement des premiers grands critiques photographiques, tels Francis Wey, Henri de Lacretelle ou Paul Périer et cela, en dépit de leurs intuitions parfois géniales, à l'époque heureuse de la revue *La Lumière* au début des années 1850, mais, à plus forte raison, de ceux tel Robert de La Sizeranne, défendant, au tournant des XIXe et XXe siècles, le pictorialisme. Au contraire, les photographies même de Moholy-Nagy, tout autant que ses discours, offrent une démonstration, ô combien convaincante ! de l'absolue originalité et de l'invention plastique inépuisable qu'offre la photographie.

(1) Cette exposition de Beaubourg cherche elle aussi, quoique dans une perspective très différente de la nôtre, à montrer les racines de la photographie du XXe siècle et les étapes de la consécration artistique du médium.

(2) Et éditée à Munich; la photographie y joue un rôle plus important que dans la seconde édition revue par Moholy en 1928. S'il n'existe aucune réédition moderne de ce texte capital, postérieure à 1969, il connut une abondante fortune critique. Nous nous référons au catalogue de Eleanor M. Hight, 1985.

Or de quoi parle Moholy? D'une nouvelle technologie fondée sur la manipulation de la lumière, d'un moyen privilégié de développer de nouvelles expériences spatiales sur une surface plane. A la même époque, le constructiviste russe, Alexander Rodtchenko précisera encore davantage ce point dans ses propres reportages ou portraits et dans ses textes en faveur de la photographie, art par excellence du XXe siècle : «Chaque image photographiée sous un angle nouveau agrandit le champ de nos représentations visuelles — chaque image construite sur une combinaison complexe d'ombre et de lumière donne une nouvelle notion de l'espace. Il ne peut y avoir de photo sans présentation de l'objet sous un angle inattendu»[3].

Moholy était, lui, plus intéressé par la création de nouveaux espaces propices à l'abstraction. Ce qui le retenait par dessus tout, c'était le rapport du clair et de l'obscur et, fatalement, la vision du négatif qui de façon plus radicale encore que dans la pratique de la gravure, propose en photographie une fascinante inversion des valeurs, une nouvelle lecture du monde. Bien sûr, les milieux artistiques dans lesquels il avait évolué et souvent avait joué un rôle, l'Activisme en Hongrie, le Dadaïsme à Berlin, le constructivisme et, enfin, les recherches du Bauhaus où il était entré en 1923, ne pouvaient que lui donner le goût de l'abstraction. Même si les photographies qu'il réalisa à compter de 1925, ont pour point de départ le réel; lorsqu'il avait abordé la photographie, en revanche, dès 1921 il utilisa exclusivement le «photogramme» ou photographie sans caméra, pour des constructions abstraites.

Dans *Malerei, Photographie, Film* ou dans divers articles, tel *Von Material zu Architektur,* publié à Munich en 1929, il manifestait également son intérêt pour les apports de la photographie scientifique et médicale, notamment pour la vision spectrale obtenue grâce aux rayons X, découverts par Roentgen dès 1895 qu'il allait exploiter dans ses propres photogrammes[4].

Cette façon d'intégrer la science et la technologie à l'art était évidemment typique des conceptions de l'École du Bauhaus et des autres mouvements artistiques de l'époque, du futurisme au constructivisme. Dans le domaine de la photographie, cette notion est évidemment fondamentale. Et ce fut l'échec du mouvement pictorialiste — dont les éléments les plus remarquables surent d'ailleurs s'esquiver à temps, que d'avoir voulu couper complètement la photographie créatrice de ses racines technologiques et scientifiques.

Dans le droit fil des écrits de Moholy-Nagy sur ce point, ce sera encore une des leçons du livre de John Szarkowski : *The Photographer's eye,* paru en 1966 et qui donne à son tour, dans une langue concise et superbe, sa définition spécifique de la vision photographique : «Not only great pictures by great photographers, but photography, the great undifferentiated whole of it, has been teacher, library and laboratory for those who have consciously used the camera as artists»[5].

(3) Alexander Rodtchenko *Photo et Cinéma,* 1928, cf. Alexander Rodtchenko, 1988, p. 128.

(4) Cf. les planches 62 et 63 de *Malerei, Photographie, Film,* 1925, et les fig. 23 et 24, p. 41 de *Von Material zu Architektur.*

(5) «Ceux qui ont, en toute conscience, pratiqué la photographie en artiste, ont trouvé leur modèle non seulement dans les chefs-d'œuvre des grands photographes, mais dans l'ensemble même de toute la photographie, sans distinction de toute les genres et sans hiérarchie des valeurs. Et celle-ci leur a servi à la fois de maître, de bibliothèque et de laboratoire». Szarkowski, 1966 : introduction, non paginée, p. 6. Ce même point de vue, de l'universalité de la photographie, a inspiré la magnifique revue créée par Jean-François Chevrier à l'instigation de la Mission pour le Patrimoine Photographique, comme l'indique son titre, *Photographies,* qui de 1983 à 1987 a consacré de nombreux articles aux aspects les plus divers de la photographie.

(6) Cf. le chapitre 4 du présent catalogue, «Point de vue et cadrage», p. 102.

(7) Au XIXᵉ siècle la traduction de l'instantané s'arrête en photographie aux recherches de Marey. Les photographies prises vers 1937 au stromboscope par Harold E. Edgerton, Kenneth J. Germeshausen et Herbert E. Gier, permettent d'offrir des images, prises au cent millionnième de seconde, d'une goutte de lait tombant, d'une pomme transpercée par une pointe, etc.

(8) En réalité, dès 1801 et 1809 Nicéphore Niepce et Wedgwood réalisèrent ce type d'images.

(9) Dont la plus célèbre fut Anna Atkins dans les années 1850; on en attribue également à Herschel Hans Kraus Jr. est le tout dernier spécialiste de la question.

(10) Cf. le chapitre 1 *Négatif* p. 21.

(11) Cf. les chapitres 4, 7 et 8, *Point de vue et cadrage, Réalisme* et *Abstraction*. Ce thème a été développé notamment par Aaron Scharf, André Jammes et bien d'autres et plus récemment dans les nᵒ 1 et 5 de la revue *Photographies*, en 1984.

Si Szarkowski reprend, comme Moholy et surtout Rodtchenko, dans une même perspective réaliste — et strictement réaliste — les articulations autour des thèmes de l'espace avec l'idée de point de vue et de cadrage dont il affine la signification[6], il introduit aussi deux notions nouvelles auxquelles seul Rodtchenko avait fait allusion, mais sans les développer à ce point : l'expression du mouvement à travers l'appréhension par la caméra d'un moment instantané de plus en plus rapide, jusqu'à dépasser les possibilités de l'œil humain[7], et celle d'un réel vécu de façon incontournable, à travers la photographie de reportage ou le portrait : «the real thing», l'une des caractéristiques essentielles du médium par rapport aux autres arts.

La particularité du projet de l'exposition du Musée d'Orsay, c'est d'appliquer cette lecture moderne de la photographie à celle du XIXᵉ siècle : tous ces éléments révolutionnaires se trouvent déjà en germe à cette époque et, s'ils n'en firent pas la théorie, les contemporains d'alors s'y montrèrent sensibles.

Qu'est-ce en effet que le photogramme sur lequel s'exercèrent d'abord Christian Schad (qui l'appelait Schadographe) puis Man Ray (qui parlait lui de rayographe) et Rodtchenko, sinon la redécouverte des «photogenic drawings» de l'inventeur anglais William Fox Talbot[8], première étape de la mise au point par ce dernier de la photographie proprement dite et qui fit longtemps encore le bonheur des botanistes anglais[9] — Bien avant Moholy, des personnalités aussi diverses qu'Henri Le Secq, Victor Hugo ou Olympe Aguado marquèrent leur intérêt pour l'aspect du négatif, ou d'autres encore pour le caractère expressif donné à leurs images par certains accidents survenus au cours des opérations lors de la prise de vue, du développement ou du tirage[10]. On a peu d'informations sur les suggestions formelles que pouvaient susciter chez les photographes le spectacle des réussites scientifiques de la photographie, mais l'on sait que ces dernières étaient accessibles à la contemplation de tous sur les murs des salons annuels de photographies ou dans le cadre des expositions universelles, que les partis pris artistiques de Le Gray ne l'empêchèrent pas de s'intéresser aux éclipses de la lune, que des photographes comme Félix Nadar et Adrien Tournachon reçurent une formation profitable auprès de scientifiques tels que Bertsch et Duchenne de Boulogne, qu'un des plus remarquables membres du mouvement pictorialiste anglo-saxon, Frederick Evans, aborda la photographie par le biais de la microphotographie de coquillages.

Quant à l'exploration du cadre industriel de la vie moderne, prônée par Moholy, on la retrouve au Second empire, dans ce registre abondamment développé de la photographie d'architecture des ingénieurs qui est à coup sûr l'un des aspects les plus résolument d'avant-garde de la photographie du XIXᵉ siècle[11]. La vision cinématographique, elle, n'est pas préfigurée seulement par les découvertes essentielles de Muybridge et Marey à partir de 1880, mais aussi par les extraordinaires études de visages en gros plan que J.-M. Cameron (nᵒ 54 à 57) fut la première à expérimenter autour de 1870.

Même les techniques annexes du photomontage ou de la surimpression des négatifs dont les dadaïstes et les surréalistes allaient faire leurs délices, furent mises au point dès le XIXe siècle (n° 126, 116, 213).

Il va sans dire, et nous ne l'oublions pas, que cette vision d'une photographie du XIXe siècle essentiellement tournée vers l'avenir, est partielle : non seulement elle ne prend en compte que l'aspect esthétique de la photographie, — ce qui n'exclut pour autant ni la photographie scientifique et documentaire, ni la photographie «anonyme», par opposition à la photographie «d'auteur», mais elle laisse de côté toute cette partie de la création photographique qui, si elle n'est pas particulièrement d'avant-garde, n'en est pas moins abondante par le nombre, remarquable par la qualité, la saveur et, malgré tout, l'originalité.

C'est tout le mérite d'une historienne de la photographie comme Eugenia Parry-Janis[12] d'avoir insisté, à la suite d'André Jammes, sur ce caractère important de la photographie française du Second empire par exemple, non seulement en dénonçant ses rapports étroits avec le romantisme et le réalisme littéraires et picturaux au sein de laquelle elle est née, mais en montrant des images très composées qui ne bouleversent en rien la perspective traditionnelle héritée de la Renaissance, qui sont fondées sur le sacrifice du détail dans le traitement des motifs — la fameuse «théorie des sacrifices» défendue par Francis Wey, à l'opposé de cette précision impitoyable, qui était le grief majeur de tous les artistes à l'encontre de la photographie, et qui sont, enfin et surtout, la négation de l'instantané : *(to still the telling lens)*, composées comme des tableaux : bref une photographie débarrassée de tous les clichés (c'est le cas de le dire !) qui la définissent habituellement.

Remarquons au passage, que cette photographie plus proche de l'esthétique picturale, mais bien distincte malgré tout et sans pastiche, se rencontre souvent chez les artistes même auxquels on doit les œuvres les plus audacieuses, les plus purement photographiques, de Gustave Le Gray à Charles Nègre, etc. Ce sont surtout dans les grandes pièces très finies, destinées aux expositions que la conception est moins novatrice, alors que les études à usage privé, destinées à rester dans des cartons ou à être montrées à des amis sont comme il est naturel, plus hardies.

En voulant mettre l'accent sur l'originalité radicale de la photographie par rapport à la peinture, au dessin ou à la gravure, nous ne perdons cependant pas de vue l'imprégnation constante, qu'elle en reçut. En outre la peinture a une tradition suffisamment longue et riche pour que l'on puisse trouver fréquemment un précédent aux plus grandes innovations de l'esthétique photographique. Mais la découverte d'un précédent isolé constitue-t-il forcément une source d'influence sérieuse et retire-t-elle vraiment à ces innovations toute leur force révolutionnaire ?[13] Autour de 1970 les historiens de la photographie ont mis en relief de façon parfois un peu exagérée la dette de la peinture

(12) E. Parry-Janis, chapitre sur la photographie dans le catalogue, *L'Art en France sous le Second Empire*, Philadelphia Museum of Art, 1978 et Paris, Grand Palais, 1979, E. Parry-Janis, «To still the telling lens, observation on the Art of French calotype», *The Connecticut Scholar*, 1981, n° 4, p. 53 à 64.
et A. Jammes et E. Parry-Janis, 1983.

(13) C'est ce que voudrait, semble-t-il, nous faire croire Kirk Varnedoe dans ses deux articles, par ailleurs remarquables sur la photographie et l'impressionisme «The Artifice of Candor, Photography and Impressionism reconsidered», *Art in America*, janvier 1980, p. 66 à 78; et, «The Ideology of time : Degas and photography», *Art in America*, mai-septembre 1980, p. 96 à 110.

envers la photographie. On assiste aujourd'hui à un renversement de la tendance qui n'est peut-être pas dépourvu non plus des mêmes excès. Finalement la recherche d'une antériorité absolue de l'une ou l'autre de ces techniques pour tel ou tel parti pris esthétique n'est-elle pas un exercice un peu vain dans la mesure où les influences ont été tout de suite réciproques? On le voit autour des années 1870 au sujet de la formulation de l'instantané dans le naturalisme, œuvre conjuguée de la photographie et de la peinture[14]. Concevoir peinture et photographie en terme de rivalité est un exercice stérile. Nous ne voulons les considérer ici, en dehors de toute idée de comparaison qualitative, que comme les divers éléments d'une évolution des Arts visuels.

En tout cas, dans notre démonstration sur l'originalité du langage photographique, nous avons été obligé d'écarter les photographies, et elles furent elles aussi nombreuses au XIXᵉ siècle, trop étroitement dépendantes de la peinture, et en particulier les réalisations des pictorialistes dans lesquelles se côtoient le pire et le meilleur, à l'exception des partisans d'une photographie «directe» tels, par exemple, Frederick Evans.

Le plan suivi pour l'exposition comme pour le catalogue, n'est donc pas chronologique, mais thématique. Nous n'avons pas voulu retracer les différentes étapes des conquêtes de la photographie qui ont modelé son esthétique; cela avait déjà été fort bien esquissé par la première grande rétrospective de ce type organisée par Beaumont Newhall au Musée d'art moderne de New York en 1937 : *Photography, 1839-1937*, ou plus près de nous, par l'importante exposition présentée à Paris par la Bibliothèque Nationale en 1976 : *Une invention du XIXᵉ siècle, la photographie.* Notre thématique n'a rien à voir, bien entendu, avec les différents sujets traités par les photographes, mais concerne les différents facteurs qui font de la photographie un langage à part :
D'abord la technologie du médium et les matériaux qu'elle emploie.
Le principe du négatif, avec ou sans caméra, étape indispensable de tout acte photographique dont elle permet la multiplication par l'impression[15] a été isolé en premier, comme le plus révolutionnaire par son inversion des valeurs.

Le second chapitre concerne tous les autres aspects matériels et technologiques : les différentes qualités des supports de ce négatif ou de l'épreuve, agrandie ou non; papier, métal ou verre, qui traduisent chaque fois très différemment la texture des objets photographiés; ensuite toutes les conséquences entraînées par les principes optiques, chimiques (multiples avatars du développement ou du tirage). Le caractère expérimental de la pratique photographique a mis au jour certains accidents dont l'utilisation pouvait se montrer très féconde pour la création d'une nouvelle esthétique.

L'étude de la lumière est évidemment un critère essentiel dans la composition et l'appréciation de tous les arts traditonnels, de la peinture à la sculpture. (Et, à cet égard, John Szarkowski ne l'évoque pas dans les spécificités de la photographie). Cependant, elle est l'instrument

(14) Cf. le chapitre 4 *Point de vue et cadrage*, p. 98 à 99.

(15) Le daguerréotype même, qui lui ne permet pas l'impression directe, est un négatif qui, grâce à l'effet miroir de son support en métal poli donne l'effet d'une image en positif, vu sous un certain angle.

même du «dessin» photographique, comme l'exprime son appelation, et cela lui donne un statut à part et un traitement propre.

Nous avons déjà suffisamment évoqué le rôle du point de vue et du cadrage en photographie pour ne pas avoir à nous expliquer davantage sur la composition de ce chapitre.

De 1839 à 1900, s'accomplit lentement la conquête de la représentation scientifique de l'instantané, sujet du 5e chapitre, venant ainsi combler l'ambition implicite des intellectuels et des artistes de la Renaissance. Mais l'on découvre alors que la notion de l'instantané, toujours plus rapide, est toute relative, et que sa représentation formelle est illusoire : les résultats des études de Muybridge et Marey, les plus dignes de foi, relèvent du savoir plus que de la vision et immobilisent le mouvement en le décomposant. Cette traduction du mouvement ne sera pleinement satisfaisante que grâce au cinéma inauguré en 1895. Néanmoins, cette évolution de la photographie vers la quête du mouvement aura été non seulement porteuse d'avenir, mais très féconde sur le plan artistique.

Le chapitre suivant, la «mise en valeur du motif» découle en droite ligne de l'analyse du cadrage, avec cette caractéristique, propre à la photographie, de détacher, d'un coup de projecteur, si l'on peut dire, un morceau de réel et son tout proche environnement, dans une perspective radicalement nouvelle par rapport à la peinture, au dessin, à la gravure et même à la sculpture, qui ont pourtant longuement pratiqué, eux aussi, l'étude du motif.

Alors que les trois premiers chapitres concernent les données techniques qui engendrent les caractéristiques formelles de la photographie, les deux derniers concernent essentiellement le contenu de cette dernière. Par exemple, le septième chapitre ou «réalisme», véhicule une notion évidemment cruciale en photographie. A première vue, le réel n'est-il pas le champ exclusif de cette dernière, par opposition aux autres arts ? Et de fait, pour tout ce qui a trait au reportage historique, médical ou social, ou même au portrait, le sentiment de réalité que nous inspire la photographie nous paraît supérieur, ou en tout cas plus poignant qu'ailleurs. Pourtant, même si nous avons pris soin dans le choix des images de cette exposition de ne retenir que celles extraites du réel, «taken from life», comme l'écrivait Julia Margaret Cameron sur le montage des épreuves de ses portraits, et non des constructions abstraites comme en feront plus tard Moholy-Nagy, Man Ray et autres, il est vite apparent que cette notion de réalisme est, en photographie aussi, très ambiguë. Car, d'une part nous sommes obligés de croire à l'existence de ce que nous ne voyons pas directement : certaines techniques photographiques inventées au cours du XIXe siècle (le perfectionnement de la vision au microscope ou au télescope déjà bien connus, ou la découverte des rayons X et la chronophotographie) nous montrent, en effet, une réalité jusque-là invisible, et de l'autre, en en renouvelant constamment l'apparence, par des points de vue, un éclairage ou le choix d'un moment inédit, la photographe peut nous faire douter de ce que nous voyons, bref mettre le doigt sur la relativité parfois angoissante, mais à coup sûr fertile, de cette notion de réel. En mettant en scène le réel, ou même en l'altérant au moyen de certaines techniques annexes purement photographiques — superposition de négatif sur un tirage, photomontage[16]. Ce nouveau médium apporte aussi de la fiction dans ce domaine — mais une fiction bien lointaine de celle, imaginaire, qu'exprime la peinture et bien plus proche de cette traduction d'une réalité, impérieuse mais désordonnée et illogique que nous donnent les rêves. A ce propos le qualificatif de «surréaliste» nous est venu bien souvent à l'esprit pour caractériser certaines photographies présentées à cette exposition. Que l'on n'y voie pas une interprétation a posteriori et gratuite, car les surréalistes eux-mêmes n'ont pas créé de toute pièce cette notion; ils n'ont fait bien souvent que donner un nom à une intrusion du bizarre dans le spectacle de la réalité, qui se manifesta bien avant eux, dans la littérature, la peinture ou les arts graphiques.

Le dernier chapitre, dénommé «abstraction» veut démontrer dans le même esprit combien la réalité existante, rendue avec le maximum de précision possible n'en est pas moins, vue sous un certain angle, réduite à un schéma abstrait. Là encore la démonstration est possible également en peinture; mais cette abstraction se développe de façon très originale en photographie, — avant même l'arrivée du Cubisme, et donnera naissance dans les années 1920 à un véritable mouvement[17].

Naturellement, une seule et même photographie peut contenir plusieurs de ces différents critères, distingués arbitrairement pour plus de clarté, mais qui sont en fait inextricablement liés les uns aux autres.

Précisons enfin, et cela est important, que ces critères de classement n'ont pas été choisis en fonction des intentions du photographe, puisque le sujet n'est pas ici l'articulation déterminante, mais que nous avons toujours pris soin de préciser les circonstances dans lesquelles leurs images ont été prises, lorsque ces dernières avaient une destination autre que purement esthétique, afin de ne pas détourner abusivement leur signification originale.

On peut se demander pourquoi aucune allusion n'est faite à la couleur en photographie, mise au point techniquement dès 1868 par Ducos du Hauron et Charles Cros, et qui connut un développement certain sous la forme de l'autochrome, auprès de l'élite des pictorialistes et de très nombreux amateurs. Or l'autochrome[18] a donné lieu en photographie à de nombreuses réussites, très appréciées du public aujourd'hui encore, mais très picturales selon nous. Nous avons le sentiment que la photographie en couleur n'a atteint sa maturité et sa véritable originalité qu'à partir des années 1940.

Enfin, le choix des images qui illustrent notre démonstration, a pour but de mettre en valeur, à côté de quelques grands classiques inévitables, beaucoup d'images inédites, dans la mesure où l'histoire de la photographie est encore en train de se faire.

Françoise Heilbrun

(16) Cf. le chapitre 1 *Médium*, p. 41 à 43.

(17) Le précisionisme avec Paul Strand et surtout Charles Sheeler.

(18) Dont le procédé fut mis au point par les Frères Lumière dès 1905.

Le négatif

248
B. Br. Turner
Crystal Palace
vers 1852

Le négatif fut certainement à son apparition au début des années 1840 une innovation fondamentale dans le domaine de la vision, car pour la première fois dans l'histoire de la représentation des formes, l'univers était rendu en valeurs inversées. Ce n'est donc pas seulement parce qu'il est à l'origine de l'essentiel de la production photographique du XIXᵉ siècle qu'un chapitre sur le négatif se doit d'introduire une exposition sur la vision photographique, mais plus encore parce que ce matériau favorise un bouleversement radical dans nos habitudes de voir. Tout ce que les artistes avaient pu imaginer depuis la Renaissance pour donner une signification expressive aux valeurs, dans la peinture, le dessin, la gravure, tout ce qu'ils avaient pu concevoir pour traduire un sentiment lyrique, étrange ou artificiel de la lumière, ne pouvaient présager cette révolution visuelle, fruit des lois de la chimie, que ni l'œil, ni l'imagination ne pouvaient entrevoir.

Sans doute certaines techniques annexes ont devancé la vision négative, comme par exemple les découpages de papier réalisés au début du XIXᵉ siècle par Philip-Otto Runge, dans lesquels les personnages sont silhouettés en clair sur un fond sombre. S'agissant des divers procédés de gravure, le cuivre qui a les mêmes fonctions que le négatif photographique, présente trop de difficultés de lecture à un œil non professionnel pour que soit tangible le phénomène d'inversion. Quant à la lecture par transparence, qui donne toute sa mesure à la perception du négatif, à l'exception du talbotype (voir plus loin), elle existait déjà avec les lanternes magiques, le diorama et autres procédés. Mais toutes ces techniques fondées sur les arts du dessin, ne pouvaient avoir cette puissance d'évocation qu'offre un morceau de réalité enregistré par un négatif photographique.

La vision en négatif est une complète discordance de la vérité la plus élémentaire du monde visible. Elle nous entraîne dans un univers étrange et fantastique. Le cinéaste Murnau avait parfaitement saisi cette signification en introduisant dans *Nosferatu* (1921) un plan en négatif, qui se situe au moment où l'attelage emmène le jeune héros vers le château du vampire à travers une forêt sinistre dans laquelle plus aucun indigène ne veut l'accompagner.

C'est en effet dans les années 1920 que les photographes ont commencé à explorer véritablement les possibilités plastiques offertes par la vision négative, non par l'objet lui-même, mais par des épreuves sur papier tirées en valeurs négatives. Moholy-Nagy et Man Ray notamment, toujours à la recherche de techniques nouvelles et expressives se sont livrés aux expériences les plus abouties dans ce domaine, juxtaposant parfois dans les expositions des images en négatif et en positif, ou ne faisant connaître pour d'autres que des épreuves perçues en négatif.

Au XIXᵉ siècle, de telles recherches visant à exploiter consciemment le caractère expressif du négatif sont exceptionnelles et on ne peut guère citer que le cas de *La Femme en corset* d'Henri Le Secq (n° 147), ou les gravures qu'il exécuta au même moment à partir de négatifs, pour témoigner de cette intention de voir dans un négatif autre chose

114
Charles et Victor Hugo
Le Dicq à Jersey
1853

Victor Hugo
Frontispice pour *Torquemada* (vers 1869 ?)
Plume, lavis et aquarelle
Paris, Maison de Victor Hugo

qu'un instrument obligé pour parvenir à l'objet véritable de la photographie qu'est l'épreuve positive. Mais la sensibilité d'aujourd'hui nous permet d'appréhender ce genre d'images avec un tout autre esprit que le praticien des débuts de la photographie qui cherchait surtout à aboutir à une épreuve satisfaisante. Il suffit pour s'en convaincre de voir toutes les transpositions contemporaines suscitées par cette vision négative, dans le Pop Art américain par exemple. Et de fait, les débats qu'eurent dans les années 1850 les photographes autour du négatif n'avaient certes pas pour objet son esthétique, mais d'en améliorer les techniques afin d'obtenir des épreuves plus fidèles à la réalité du monde visible.

Cela signifie-t-il pour autant que ces photographes furent insensibles à l'atmosphère particulière du négatif? Les esprits qui savaient exercer leur imagination, cette «reine des facultés», ont été impressionnés par cette poésie nouvelle, où le jour devient nuit, où toute forme perd sa réalité et se trouve chargée de bizarrerie. Plusieurs remarques contemporaines nous sont parvenues, celles du critique Paul Perier par exemple, admirant la beauté des négatifs d'un des frères Aguado. Un des plus éclatants témoignages que l'on possède de l'intérêt porté à la vision du négatif au cours du XIXe siècle nous est fourni, cela n'étonnera pas, par Victor Hugo. La production de l'atelier de Jersey dont le poète avait suscité la création en 1852, lui a permis de connaître la consistance du négatif papier ainsi que celle du négatif verre à l'albumine ou au collodion. Pour un projet d'illustration de *Torquemada*, Hugo réinterpréta un fragment d'une photographie de son fils Charles représentant des troncs de bois servant de brise-lame en-dessous de «Marine Terrace», leur maison (*Le Dicq*, 114), qui évoquaient pour lui les os des suppliciés de l'Inquisition, mais il utilisa pour ce faire le négatif, dont les valeurs restituaient une atmosphère plus intensément dramatique encore à ses yeux. On comprend qu'un artiste qui s'exprime si puissamment par le jeu des valeurs ait été frappé par la photographie dont les effets de clair-obscur l'émerveillèrent et par le négatif qui les traduit avec plus de violence et laisse place de surcroît à l'imaginaire. Plusieurs dessins du poète semblent provenir directement de cette vision en négatif, et on perçoit son intérêt pour cette approche jusque dans sa pratique du pochoir dont il réalisait des épreuves en valeurs inversées.

La réalisation d'un négatif est le résultat d'un phénomène chimique de noircissement des sels d'argent inversement proportionnel aux valeurs du motif que reflète la lumière. Cette inversion s'explique aisément puisque les parties claires du motif vont impressionner plus fortement le papier sensibilisé placé à l'intérieur de la chambre obscure, et donc le noircir davantage, alors que ses parties sombres ne vont laisser qu'une faible empreinte sur l'émulsion. En appliquant une feuille de papier sensibilisé contre ce négatif, la lumière du soleil va en le traversant réaliser selon le même principe de noircissement l'opération inverse, qui rétablit dès lors la réalité des valeurs en une épreuve positive.

Le négatif apparaît donc comme le matériau quasiment obligé de la prise de vue au XIXe siècle (le procédé de Bayard permettait dès 1839 par des manipulations complexes d'obtenir des épreuves positives directes mais fut très rapidement abandonné par son auteur), et même le daguerréotype, dont l'image apparaît en positif ou en négatif selon la réflexion de la lumière, doit s'analyser comme un négatif réalisé dans la chambre selon le même schéma, mais que l'effet miroitant propre au support métallique permet de voir en positif.

Obtenu dès 1816 par Nicéphore Niepce à la suite de travaux qui n'eurent pas de prolongements immédiats, le négatif photographique définitivement mis au point au début des années 1840 par William Fox-Talbot, fut précédé dans ses expériences par la découverte du *dessin photogénique* qui exploitait déjà les propriétés de noircissement des sels d'argent. Tout objet au dessin schématique ou graphique posé sur un papier sensibilisé laissait sa forme en réserve, alors que sur ses pourtours le papier noircissait, silhouettant ainsi le motif en négatif. Avec l'obtention d'une épreuve positive à partir de celui-ci, Talbot avait élaboré le principe du négatif/positif. La technique du dessin photogénique fut admirablement utilisée à la fin des années 1840 par Anna Atkins pour constituer des herbiers, en conservant la vision négative (n°s 19 à 21). Redécouverte dans les années 1920, cette technique fut aussi très appréciée par les diverses avant-gardes (le photogramme que Man Ray surnommait le rayogramme) et là aussi de nombreux artistes se livrèrent à des recherches où des objets opaques ou translucides étaient rendus en négatif.

Le premier support utilisé pour le négatif fut le papier (le plus souvent un papier à dessin), qui par sa consistance légèrement granuleuse, donnait un grain très particulier aux épreuves. Avec la technique du négatif de Talbot, l'émulsion n'absorbant pas le papier, le motif était lisible sans qu'il soit nécessaire de voir le papier en transparence. Un exemple de talbotype nous est fourni par une admirable étude d'armure (107), réalisée dans le courant des années 1840 par deux artistes écossais, Hill et Adamson.

Les améliorations techniques apportées en 1847 et 1851 par D. Blanquart-Evrard et G. Le Gray au procédé de Talbot donnèrent au négatif-papier une plus grande précision dans les détails, plus de velouté dans le modelé, et par la vision en transparence, accentuait l'effet de nocturne. C'est sans doute la période où le négatif est le plus intéressant en tant qu'objet esthétique, et c'est uniquement cette catégorie de pièces que nous présentons dans cette exposition. Il serait superflu de commenter toutes ces images qui attestent de ces caractéristiques que nous évoquions tout à l'heure de la vision négative, mais qui sont présentes aussi pour étayer d'autres aspects de la vision photographique, comme la lumière (V. Regnault, 209), le cadrage (Ch. Nègre, 189, J.B. Greene, 104), le motif (H. Le Secq, 135), ou l'abstraction (H. Le Secq, 140).

Si le procédé du négatif papier ouvrit cette grande période de création des «Primitifs» français de la photographie, il ne tarda pas à être supplanté par l'emploi du verre (proposé dès 1850 par F. Scott Archer) car les techniciens étaient toujours en quête de nouveaux moyens pour obtenir plus de précision dans la définition de l'image. L'ère du verre au collodion qui débuta dans le courant des années 1850 fut suivie de celle du gélatino-bromure d'argent, qui vit le jour à la fin des années 80; cette émulsion beaucoup plus sensible à la lumière fit perdre au négatif ses belles tonalités chaudes. A la même période, apparurent les appareils portatifs autorisant l'exercice de la photographie instantanée, et supposant l'emploi de négatifs de petits formats sur verre ou sur pellicule souple tirés par projection; le négatif perdait alors définitivement toute signification en tant qu'objet pour devenir une pièce d'archive.

Philippe Néagu

21
A. Atkins
«Lycopodium... Ceylon», étude de végétation
1851-54

147
H. Le Secq
Femme en corset
vers 1855

209
V. Regnault
La femme de l'artiste
vers 1850

189
Ch. Nègre
Nu allongé dans l'atelier de l'artiste
1848

81
Th. Deveria
Forêt
avant 1859 ?

135
H. Le Secq
Bateaux à quai à Dieppe
vers 1850

140
H. Le Secq
Carrière
1852-53

29 a
E. Baldus
Inondations du Rhône
1856-57

29 c
E. Baldus
Inondations du Rhône
1856-57

229
G. Shaw
Étude d'un vieux chêne
1852

Le médium

116
C. Hugo
Victor Hugo dans le rocher des Proscrits
1853

Ce chapitre a pour objet de donner un certain nombre de notions élémentaires concernant la photographie du XIXe siècle, d'ordre essentiellement technique, dans la mesure où ce sont elles qui déterminent d'abord les caractéristiques du médium par rapport aux moyens d'expressions traditionnels. L'évolution de l'histoire de la photographie de 1839 à 1918 ne s'explique pas seulement par celle des mentalités, du goût, des diverses influences qu'elle a pu recevoir d'autres arts, mais aussi par l'évolution de ses propres techniques, très rapides au cours de cette période. Cette dernière fut à l'origine de transformations fondamentales dans l'interprétation de la nature et permit de nouvelles conquêtes visuelles.

Nous verrons très succinctement les matériaux physiques de la photographie et leurs traitements, qui permettent de caractériser la vision photographique, les problèmes spécifiques à la mise au point, ceux des déformations optiques, etc. Viendront ensuite l'examen de nouvelles expériences visuelles qu'autorisa la photographie, comme les combinaisons d'images, et enfin celui de différents accidents dans l'emploi des techniques, qui là aussi ont suscité des effets nouveaux qu'utilisèrent abondamment les avant-gardes des années 1920.

Avant même d'être porteur d'un contenu visuel et intellectuel, un moyen d'expression, une technique artistique, se définit d'abord par un support, un matériau, dont la consistance physique donne à l'œuvre son aspect premier. Les diverses qualités artistiques du peintre, dessinateur, graveur ou sculpteur, interviennent ensuite pour guider la main chargée de maîtriser les ingrédients et les techniques qui recouvriront ce support ou donneront forme à ce matériau. Telle était du moins la situation jusqu'à l'invention de la photographie qui est venue troubler ces convictions millénaires.

Car la photographie apparaît comme le premier moyen d'expression issu de l'évolution de l'histoire des techniques, qui fait perdre à la main son rôle essentiel dans l'élaboration de l'œuvre. L'accélération de cette évolution a favorisé au XXe siècle l'émergence de modes nouveaux (cinéma, vidéo, images de synthèse, copy-art, etc.), qui ont habitué maintenant les mentalités à accepter cette idée que les instruments de la technologie pouvaient permettre une création, en fonction de leur nature, sans que le rôle de la main soit primordial ni perceptible. A l'apparition de la photographie et jusqu'à la fin du XIXe siècle, l'attitude traditionnaliste, celle de la majorité des critiques (de Charles Baudelaire à Octave Mirbeau), était de dénier à la photographie tout pouvoir de création, tant cette mythologie de la main, source de toute forme d'art depuis la nuit des temps, était ancrée dans les esprits. Et, en effet, la main n'intervient là que pour réaliser un certain nombre d'opérations de caractère plus ou moins mécanique, au moment de la prise de vue, au développement du négatif et à la réalisation de l'épreuve. Si une certaine dextérité manuelle aide à la qualité de ces opérations, ce sont avant tout l'œil et la sensibilité du photographe qui façonnent l'image.

Le support de la photographie, moins diversifié que celui d'autres moyens d'expression, puisqu'il s'agit presque exclusivement du papier, en fait un art intimiste, comme le dessin ou l'estampe. Les essais réalisés au cours de cette période pour trouver d'autres supports ne sont que des épiphénomènes qui, à l'exception du daguerréotype, n'intéressent pas l'histoire de la photographie en tant que langage visuel.

Le support papier adopté en Angleterre dès les années 1840 fut précédé en France par le daguerréotype, épreuve unique sur cuivre, mis au point par L.-A. Daguerre en 1839 à partir des travaux de Nicéphore Niepce. Le procédé de Daguerre eut un retentissement considérable dans le monde (à l'exception de l'Angleterre), mais fut pratiquement abandonné dans le courant des années 1850 parce que le procédé négatif/positif de Talbot, après les améliorations qu'on y apporta en France dans les années 47-51 fut jugé supérieur techniquement, d'autant qu'il permettait d'assurer la diffusion de l'image. Ce qui fascina le public, les scientifiques et les artistes à l'apparition du daguerréotype, c'était le précisionnisme avec lequel la plaque sensible enregistrait les détails les plus infimes du motif, allant même parfois jusqu'à donner l'illusion de capter ce que l'œil ne pouvait percevoir. A vrai dire, la précision du rendu n'a cessé de hanter l'esprit humain, certains voyant dans cette démarche la seule façon d'être fidèle à la réalité de la nature. Nombreux furent les artistes imprégnés de cette conception, et au XVIIe siècle, par exemple, certains peintres flamands ou hollandais étudiaient le motif à travers des lentilles grossissantes afin d'accroître cet effet dans leurs natures mortes. Cela explique que le daguerréotype ait pu apparaître à bon nombre comme un procédé insurpassable pour transcrire la nature, et que certains aient dès lors pensé sérieusement qu'il faisait perdre toute utilité aux arts du dessin. D'autres lui reprochaient une sécheresse de matière et de tonalité, un gris un peu triste, et aussi ses effets miroitants qui en gênaient considérablement la lecture, de sorte que, ce que l'image gagnait en détails, elle le perdait en lisibilité. Si la photographie est déjà par sa nature un art intimiste, le daguerréotype tient de la miniature, et s'apparente souvent par sa présentation à un objet (écrins, médaillons, etc.) alors que l'image sur papier trouve sa place dans un cabinet d'amateur, ou une bibliothèque.

Les trois images que nous avons sélectionnées (65, 154, 258), chef-d'œuvres de la daguerréotypie, témoignent des qualités de ce procédé, qui suscita des images envoûtantes lorsqu'il était pratiqué par de véritables artistes.

La critique photographique qui s'organisa au début des années 1850 souligna l'ère nouvelle qu'ouvrait le support papier, tiré alors à partir d'un négatif de même nature. L'image perdait de sa précision, mais au profit d'une plus grande subtilité dans le rendu du modelé, d'une vision plus schématique du motif, car les détails étaient sélectionnés en fonction de leurs valeurs. Le grain du papier donnait aux différentes matières du motif un caractère homogène et cette texture particulière n'était pas sans rapport avec certaines techniques du dessin. Le verre au collodion marqua un aboutissement temporaire dans les recherches techniques car il permit un retour à la vision précise, enregistrant les valeurs avec plus de vérité que le papier. Quel que soit le degré d'opacité de la matière du négatif et le degré de précision de son émulsion, l'épreuve photographique est d'abord caractérisée par un phénomène de transparence, qui ne fait qu'accroître le sentiment de réalité de l'enregistrement photographique. Seule la saturation des valeurs de l'épreuve[1] peut atténuer ou faire disparaître cette transparence et donner ainsi une toute autre approche du motif que celle contenue dans le négatif.

La diversité des papiers utilisés entre 1840 et les années 1920, et plus encore les innombrables préparations que l'on pouvait y pratiquer, artisanalement ou industriellement, sont difficiles à concevoir de nos jours, où supports commerciaux et préparations sont devenus d'une effarante pauvreté et d'une pénible uniformité. Ces papiers avaient des textures diverses qui variaient l'épiderme de l'épreuve et quant au contenu de l'image, donnaient des tonalités et des valeurs différentes au motif. Sans entrer dans les détails, soulignons les deux préparations les plus usuelles du XIXᵉ siècle, le papier salé des débuts de la photographie qui se caractérise par sa matité, et celle à l'albumine, qui donne à l'épreuve son aspect lisse et brillant.

Si le support définitif de l'image photographique est un papier sensibilisé, l'œuvre préexiste sur cet autre support qu'est le négatif, dont la consistance physique et chimique sont déterminantes pour son aspect général, nous l'avons vu, mais dont certaines caractéristiques de l'enregistrement peuvent être profondément modifiées au moment de son tirage. La création d'épreuves positives, qui constitue l'aboutissement des opérations photographiques, peut faire l'objet de multiples interprétations du négatif, par le choix du papier, les jeux de la chimie, le temps d'exposition à la lumière, etc. Un exemple significatif d'interprétation nous est fourni par une image de Gustave Le Gray représentant l'intérieur du *Cloître de Moissac*[2], où, par le jeu des valeurs, l'artiste transforme un négatif réalisé évidemment de jour, en nocturne à l'épreuve. Cette liberté, plus grande à certains égards au XIXᵉ siècle à cause de la préparation artisanale du négatif et de l'épreuve positive, était cependant plus limitée qu'au XXᵉ siècle, du fait du tirage par contact (c'est-à-dire par application d'une feuille de papier contre le négatif, du même format que celui-ci), le procédé de tirage par projection permettant plus d'interventions manuelles sur l'ensemble ou parties de l'image. La réalisation de l'épreuve photographique n'est donc pas une opération automatique, mais le résultat d'une recherche plastique et le fruit d'une sensibilité. Mais la décision de transcrire le plus fidèlement possible le négatif, en ne pratiquant aucune manipulation, peut correspondre aussi à un choix esthétique.

Un débat qui anima le milieu photographique dans les années 1850, puis dans les années 1890 concernait les retouches que l'on était autorisé à apporter à l'image, qui pouvaient être de différentes natures. Les plus anodines avaient pour objet de donner plus de relief à certains détails d'un motif mal venus sur le négatif, à l'aide du crayon ou du pinceau, retouches qui améliorent l'image sans en modifier le caractère photographique. A l'opposé, celles qui consistent à redessiner à la main le négatif et plus encore l'épreuve à l'aide de différents procédés, afin d'assimiler l'image à un dessin ou à une estampe, dénaturent le caractère initial de l'œuvre photographique, et en font des œuvres de techniques mixtes, ce qui n'excluent pas leur qualité, lorsqu'elles sont le produit d'artistes véritablement sensibles[3].

Parmi les procédés utilisés au XIXe siècle pour rapprocher la photographie des arts traditionnels figure, par exemple, le coloriage de l'épreuve, qui laisse apparaître la consistance photographique du motif, mais altère ses valeurs et fait perdre le plus généralement tout intérêt à l'image.

Il en est tout autrement des nombreux procédés photo-mécaniques, dont l'objet était d'assurer une plus grande diffusion à l'image photographique, et qui se développèrent dans le courant des années 1850 pour connaître leur apogée avec le Pictorialisme au début des années 1900. Ces procédés donnent à l'image une texture particulière parce que le motif photographique est réinterprété par les matériaux de l'estampe (cuivre ou autres métaux, pierre lithographique) et de ce fait l'épreuve perd une partie de sa transparence et de sa précision.

La mise au point

Alors que la précision est une caractéristique des émulsions sur verre, le degré de mise au point est un choix laissé au photographe avant la prise de vue. Les techniques photographiques permettent avec le jeu des objectifs et l'utilisation du diaphragme d'aboutir à une image soit complètement nette, soit faisant alterner des parties nettes et des parties floues, soit entièrement floue. Ces techniques existèrent, bien sûr, de façon plus rudimentaires, dès l'origine de la photographie. La mise au point est le plus souvent le résultat d'une intention plastique délibérée, mais elle peut être aussi liée aux contraintes de la technique, par exemple lorsque la puissance de la lumière ne permet pas d'avoir suffisamment de profondeur de champ pour obtenir une image entièrement nette.

Le choix dans la mise au point implique des façons différentes d'appréhender le monde visible : — elle peut être un moyen d'affirmer dans toute son étendue la réalité de ce monde — de mettre en exergue un motif en diluant son environnement — ou de lui faire perdre sa consistance matérielle véritable. Dans ces deux derniers cas, la vision se trouve plus ou moins modifiée par rapport à la réalité des formes, puisque l'œil (en bon état de fonctionnement) perçoit avec la même netteté les motifs indépendamment de leur éloignement dans l'espace, quand bien même l'atmosphère en modifie la substance selon leur ordre perspectif, phénomène que la mise au point nette traduit parfaitement

(1) Cf. : Accidents de la technique, p. 47.

(2) Présenté dans cette exposition, hors catalogue.

(3) Cf. plus loin, pp. 38-39.

bien en photographie. Le second type de mise au point, mi-nette, mi-floue, avait déjà été pressenti par certains peintres, dessinateurs ou graveurs en donnant une facture plus précise ou en accentuant les valeurs des motifs essentiels de l'œuvre, et en ébauchant seulement, parfois avec des teintes claires, ce qui les environnait, notamment les éléments en bout de perspective, qui ont dès lors une consistance plus irréelle que ce que l'œil perçoit en réalité à travers l'atmosphère. Mais ce qu'il y a véritablement de nouveau avec la photographie dans la juxtaposition de parties nettes et de parties floues, c'est que ces dernières conservent une apparence de réalité, mais d'une réalité imperceptible à notre œil et qui se désagrège proportionnellement à la profondeur de la perspective, ou se situe au contraire au premier plan.

L'image entièrement floue appartient à un tout autre registre, celui d'un univers imprégné d'une atmosphère poétique de nature symboliste. Ce genre d'images n'apparaît en photographie (sauf erreur technique de mise au point), qu'à la fin du XIXᵉ siècle, et il est lié à un mouvement international, le Pictorialisme, qui visait à donner à la photographie un nouveau statut artistique, que, selon les tenants du mouvement, l'image documentaire et commerciale ne lui permettait pas d'avoir. Comme son appellation l'indique, ce mouvement cherchait ses sources dans la peinture, non seulement par des emprunts à différentes tendances ou écoles artistiques de l'époque — le Préraphaélisme, le Naturalisme, l'Impressionnisme, le Japonisme, et surtout le Symbolisme — mais aussi par des techniques multiples et raffinées de tirage, supposant de nombreuses manipulations, qui donnaient souvent à l'image l'apparence d'un dessin plus que d'une photographie. La jonction de la mise au point floue et de ces techniques de tirage constituaient une réaction esthétisante au réalisme jugé trivial du rendu photographique. L'adéquation était donc parfaite pour interpréter la nature entre contenu esthétique, mise au point et consistance du matériau définitif.

Le flou pictorialiste, qui pouvait se pratiquer à la prise de vue ou au moment du tirage de l'épreuve, suggérait le motif plus qu'il ne le mettait en relief ; ce motif apparaissait, fragile, comme émergeant d'un songe, nimbé dans une même atmosphère irréelle que le reste de l'image. Ce sentiment du flou trouvait bien sûr ses antécédents dans la peinture, le dessin, la lithographie. Mais ce serait mal comprendre l'importance de ce mouvement que de ne voir en lui qu'une forme de plagiat de ces différents modes d'expression, car malgré ces emprunts de sujet, de style, de substance et de matière, il suscita une production beaucoup plus diverse que ce à quoi on le réduit généralement. Entre les mains d'artiste véritablement sensibles, ce mouvement fut à l'origine de créations qui bouleversèrent l'esthétique de la photographie déjà ancrée à cette époque-là dans une production routinière. Et par l'intérêt même que les membres du mouvement portaient outre-Atlantique à l'avant-garde artistique européenne du début du siècle, c'est de lui qu'émergea dans le courant de la Première Guerre mondiale cette révolution stylistique qui, en photographie, ouvre la période moderne.

A priori, on se doit de considérer comme appartenant à l'univers de la photographie tout ce qu'autorisent les techniques du médium, même si aux yeux des puristes, il y a dans ces emprunts stylistiques et dans ces recherches de techniques mixtes, comme une dérive à sa vocation essentielle. Si le mouvement ne se trouve représenté dans cette exposition que par quelques images éparses, sélectionnées afin d'appuyer une démonstration, c'est d'abord parce qu'elle ne se veut aucunement être une nouvelle histoire de la photographie du XIXᵉ, où il trouverait tout naturellement sa place, mais aussi parce que la plupart du temps les images pictorialistes sont trop liées (et parfois inféodées) aux différentes esthétiques de la peinture et aux techniques des arts du dessin, pour constituer des éléments véritablement originaux et significatifs de la vision photographique. De nos jours, l'utilisation de la photographie par les artistes «plasticiens», a ouvert un débat à peu près analogue à celui auquel se livrèrent les photographes au début du siècle. De nouveaux supports, notamment la toile, des formats plus considérables font perdre à la photographie son caractère intimiste. L'image quitte le carton du collectionneur pour devenir, comme une peinture un objet mural, conception qu'avait également certains tenants du pictorialisme. On retrouve le même rejet, parfois exprimé avec la même naïveté dans le discours, de l'image photographique précise, objective, non manipulée, qui se contente de montrer modestement un morceau de nature, à travers un tempérament d'artiste.

L'utilisation de la mise au point était donc à la fin du XIXᵉ siècle un instrument de liberté entre les mains des photographes, et, comme le choix du support, leur permettait d'affirmer leur esthétique. Mais à vrai dire la très grande majorité de la production de ce siècle est marquée par la vision nette, parce qu'avant même de recourir à des moyens permettant de diluer la réalité, les photographes ont voulu affirmer hautement les capacités du médium à la reproduire fidèlement, comme pour mieux s'approprier le monde visible. Ce n'est pas seulement dans ses applications scientifiques ou documentaires qu'une telle nécessité s'imposait aux yeux des photographes de l'époque, car même dans les sujets permettant une plus grande liberté d'approche, les photographes exprimaient leur vision d'artiste à travers d'autres moyens que la mise au point, comme le choix du motif, le cadrage, la lumière, etc. Une exception notable dans le courant du XIXᵉ siècle nous est fournie par J.-M. Cameron, qui bien qu'influencé par la peinture pré-raphaélite (de nature souvent très précionniste dans le traitement du motif), utilisa l'alternance du net et du flou d'une manière très expressive, et l'originalité des cadrages qu'elle élabora témoigne d'une vision tout à fait personnelle des possibilités plastiques de la photographie, qui ne doit rien à la peinture (voir le chapitre sur le cadrage).

A l'époque où le Pictorialisme s'imposait, de nombreux photographes continuèrent à pratiquer la photographie selon les mêmes préceptes qu'avant l'émergence de ce mouvement, utilisant la mise au point nette, et des matériaux non manipulés. Il y avait, là encore, une véritable adéquation entre le contenu intellectuel de l'image et les moyens techniques destinés à lui donner vie. L'œuvre d'Eugène Atget est exemplaire d'une certaine vision photographique, car il ne doit rien à une quelconque influence de la peinture, et rien non plus aux différentes recherches des courants photographiques qui jalonnèrent la longue période de sa création. Indépendant des avant-gardes, Atget utilise les techniques les plus simples et les plus traditionnelles de la photographie professionnelle, ne recherche jamais d'effets spéciaux, et transcrit avec génie des morceaux de réalité dans la ville, ses banlieues, la campagne. La prodigieuse poésie qui émane de ses images, souvent médiocrement tirées, est là pour attester que la réalité du monde visible est suffisamment riche sans avoir à recourir à la fiction ou au déploiement de l'imagination, pour nous émouvoir.

Déformations

L'enregistrement photographique s'effectue sur le négatif placé dans la chambre noire au travers de lentilles fixées sur un objectif. L'avance que possédait dans les années 1840 l'optique sur la chimie de la photographie a permis d'obtenir immédiatement des images sans déformation dans la représentation visuelle des motifs, correspondant à ce que l'œil perçoit dans la réalité. En fait, le choix du point de vue était fondamental pour éviter ces déformations, avant que n'interviennent sur les appareils les techniques de basculement et de décentrement qui rétablissent la perspective. Dans certaines situations, notamment en fonction de l'espace, le photographe ne pouvait éviter de déformer la ligne, le volume ou la perspective du motif, particulièrement dans la photographie d'architecture. Ce que les contemporains ont considéré comme une contrainte, une limite des techniques photographiques qu'ils ont cherché à corriger, apparaît au contraire à notre œil d'aujourd'hui comme un jeu visuel chargé de significations, et échappant tout à fait aux principes de la représentation traditionnelle, parce que ces déformations donnent au motif une nouvelle dynamique. Ainsi en est-il par exemple, de cette vue du Louvre de Collard (69), où la façade du bâtiment semble s'écrouler du fait de la déformation et prend dès lors l'aspect d'un décor de théâtre.

Des lentilles furent conçues pour élargir le champ de vision de lieux très exigus et cet élargissement de l'espace aboutissait aussi à des déformations inhabituelles. Deux photographies de constats effectuées par la Préfecture de Police à la suite de crimes (268 et 269), images véristes et sans complaisance, démontrent timidement ce à quoi nous ont habitué aujourd'hui les grands-angles, avec le motif de la jambe de la victime qui prend des proportions démesurées, et son visage qui semble par sa réduction, comme repoussé au loin. Dans la *Pointe des Poulaires* (271), la technique du panoramique, qui supposait le placement incurvé du négatif dans la chambre noire et un balayage de l'objectif, a fortement exagéré la rotondité de la terre, effet qui donne à sa forme une interprétation allégorique. Dans ces exemples, les déformations étaient inhérentes à la technique, et si nous nous plaisons aujourd'hui à contempler de telles images (assez rares à l'époque), qui devancent certaines recherches picturales ou graphiques du XXᵉ siècle, elles n'étaient pas à proprement parler le fruit de la volonté des photographes.

Il est par contre des cas nombreux où l'emploi de lentilles sert les intentions plastiques de l'auteur. Un exemple frappant nous est donné par *l'Omnibus* de L.-A. Coburn (66), où l'utilisation d'une lentille Dallmeyer, a pour fonction de donner le sentiment de l'écrasement de l'espace, à la façon des estampes japonaises. La scène semble se situer sur le même plan (bien que l'ombre de l'arbre au premier plan nous fasse percevoir une perspective), et la voiture nous apparaît comme suspendue dans les airs. Nous ne nous étendrons pas plus, faute de place, sur ces déformations dues aux lois de l'optique, dont certaines étaient déjà connues et utilisées par les peintres, de Parmigianino à Vermeer, et qui favorisent d'intéressantes recherches dans la photographie contemporaine.

Superposition d'images, collage et photomontage

Parmi les effets visuels qui virent le jour grâce à l'invention de la photographie, il en est plusieurs qui sont le fruit de manipulations diverses, et dont les exemples, rares au XIXᵉ siècle, préfigurent des recherches nombreuses et abouties au cours du XXᵉ siècle.

La superposition d'images pouvait être le résultat jusqu'à une époque très récente d'une erreur de manipulation : le photographe a oublié qu'il a déjà impressionné sa plaque ou sa pellicule et il effectue une seconde prise de vue qui se superpose à la première. Le hasard peut aboutir à une image surprenante, mais la superposition consciente de deux négatifs est bien sûr plus riche encore de significations plastiques.

L'image que nous avons choisi pour illustrer ce genre est l'œuvre d'un artiste anglais, O.-G. Rejlander, peintre de formation, et dont la production photographique, scènes de genre, tableaux vivants, doit beaucoup à cet apprentissage. C'est d'ailleurs l'esprit de la peinture qui l'amena à réaliser cette scène, *Temps difficiles* (213), tout à fait traditionnelle dans la composition, mais révolutionnaire dans les moyens employés pour faire se cohabiter deux univers, celui de la réalité et celui du rêve, idée qui appartient elle-aussi à la tradition picturale. Mais dans la peinture religieuse, par exemple, l'univers céleste est juxtaposé aux événements terrestres, ils ne se confondent pas, et même différents moyens, spaciaux et plastiques, sont là pour affirmer leur séparation et permettre en même temps une certaine communication entre eux. Ici la superposition des deux négatifs aboutit à un mélange de motifs qui impliquent l'osmose des deux univers, celui de la réalité ressortant cependant avec plus de forces que celui du rêve; et l'emplacement de ces motifs est conçu de façon signifiante, le visage de la femme, par exemple, est placé derrière celui de l'homme, pour bien marquer que sa destinée hante son esprit. Il peut paraître paradoxal qu'un photographe, imprégné des préceptes de la peinture ait pu élaborer une technique si riche d'avenir pour la photographie afin de servir une œuvre de pure fiction. L'image de J.-H. Lartigue, *Zissou en fantôme* (126) est une charmante facétie utilisant le même procédé, mais qui ne doit rien à la peinture.

Redécouverte et utilisée abondamment par les surréalistes, la superposition d'images servit à exprimer la bizarrerie ou l'absurdité de notre univers. D'une manière plus générale, elle est utilisée au XXᵉ siècle, pour créer des images fantastiques ou oniriques, dans lesquels deux motifs s'entrechoquent ou au contraire se fondent harmonieusement.

Le portrait de Victor Hugo dans le Rocher des Proscrits à Jersey (116), est un exemple unique à notre connaissance, de la juxtaposition d'un dessin photogénique et d'une image photographique. Par l'effet visuel, cette image s'apparente à un photomontage, bien qu'il s'en différencie par une technique plus complexe. Faut-il voir là un projet de frontispice destiné à l'Album des *Iles de la Manche,* ou tout simplement une expérience visuelle comme les affectionnait Hugo, qui mélangeait si hardiment les techniques? Bien que composée par des moyens purement photographiques, cette image trouve sa source dans la façon dont l'illustration romantique associe motif et éléments décoratifs, et qui inspira également au poète plusieurs dessins.

Le collage est également un procédé de combinaison d'images, mais d'un effet visuel différent, car il procède de la juxtaposition selon un certain ordonnancement de fragments de motifs découpés. Cette technique, très prisée par les peintres au début du XXᵉ siècle permettait le rassemblement de matériaux les plus divers, comprenant aussi la photographie. Les photographes liés aux avant-gardes du début du siècle, dadaïsme, surréalisme, futurisme, constructivisme, pratiquèrent fréquemment le collage, mais, quant à eux, à partir d'éléments essentiellement photographiques.

Toutes ces expériences trouvent leurs antécédents dans ces collages réalisés à titre tout à fait privé par certaines grandes familles anglaises, mélangeant également différents modes d'expression, comme le dessin, l'aquarelle et la photographie. Deux planches d'un album constitué par un membre de la famille Cavendish (256, 257) nous permettent de saisir toute l'invention visuelle de ces collages victoriens, qui par leur fantaisie déjà pré-surréaliste, témoigne de cette sensibilité du non-sens qu'illustra si éloquemment Edward Lear dans ses écrits et ses caricatures à la même période. Peu importe ici la qualité du dessin ou de l'aquarelle, le plus souvent assez grossière, ou celle des photographies, dont apparemment on n'a pas à regretter qu'elles aient été ainsi découpées, ce qui compte, c'est l'idée qui préside à ces rassemblements et la poésie burlesque avec laquelle elle est mise en œuvre.

Si les motifs photographiques de l'éventail se trouvent arrangés d'une façon plus traditionnelle du fait de la forme de l'objet, que la planche des valises et que bien d'autres planches de cet album, on remarquera la façon étonnante avec laquelle l'artiste intercale entre certaines figures découpées, des zones de vide à l'aide de fragments dénués de motif, comme les surréalistes ou les futuristes qui jouent aussi de ces rapprochements de motifs et de matière neutre.

L'extraordinaire série d'éclairs de lampes au magnésium d'A. Londe (150) constitue aussi un collage, mais par sa nature séquentielle, elle s'apparente plutôt aux recherches de l'art conceptuel des années 1960.

Le photomontage est un procédé qui désigne un rassemblement d'images rephotographiées, alors que le collage constitue une pièce originale et unique. A la grande époque du photomontage, il est le plus souvent ordonnancé en fonction d'un discours, révolutionnaire chez les constructivistes russes, anti-nazi chez John Heartfield, ou sert des intentions purement plastiques chez Moholy-Nagy. La photographie de figures de nains de M. Brady (52), réalisée dans un but publicitaire, est un photomontage d'un genre spécial puisqu'il ne combine pas les motifs en un tout cohérent mais rassemble des images séparées. O.-G. Reilander et H.-P. Robinson ont réalisé de véritables photomontages qui constituent d'insupportables pastiches de la peinture et n'ont donc pas place dans une exposition sur la vision photographique, malgré l'intérêt de la technique utilisée.

Les accidents de la technique

Certains accidents de la technique sont à l'origine d'effets visuels tout à fait nouveaux dans la représentation du monde visible, et plusieurs découvertes dans ce domaine furent utilisées consciemment par les tenants de la photographie expérimentale dans le courant des années 1920. Sans doute, en fonction de leur nature, ces images sont rares, voir exceptionnelles dans la production du XIXe siècle, mais elles n'en sont pas moins significatives de ces multiples possibilités qu'offre la photographie de réinterpréter la nature, indépendamment de leur contenu intellectuel, ou en accord avec lui. Sans les exposer de façon exhaustive, on peut distinguer les accidents dus à la prise de vue (préparation du négatif, lumière, instantané) et ceux dus au tirage de l'épreuve (solarisation, agrandissement, saturation des valeurs de l'image).

Parmi les accidents dus au traitement du négatif, une image de Nadar appartenant à la série des Catacombes de Paris nous semble particulièrement saisissante (187). Plusieurs négatifs de cette campagne présentent du reste des anomalies, car elle constituait une succession de défits techniques, quant à l'emploi de la lumière, et à leur préparation puisque la plaque de verre devait être sensibilisée sur place. Il en résulte pour notre image l'apparition d'une figure fantastique, qui paraît hanter ce lieu lugubre des catacombes. Bien que sa présence ne doive rien à la volonté de Nadar, elle sollicite notre imaginaire avec plus de conviction encore que les superpositions d'images que nous avons déjà rencontrées, ou que celles des photographes surréalistes, et s'apparente à certaines recherches visuelles auxquelles se livra Victor Hugo à partir de taches d'encre ou de café.

Un accident de lumière intéressant nous est fourni par une image d'un photographe peu connu, Gabriel Loppé, qui fut, semble-t-il, le premier à tenter d'opérer de nuit, ce que la sensibilité des émulsions photographiques n'autorisa pas avant la fin des années 80, moment où cet artiste commença à œuvrer. Ce qui nous reste de sa production témoigne de tâtonnements, d'incertitudes dans l'emploi des techniques, puis de difficultés vaincues, pour traduire avec justesse l'atmosphère de la nuit, ponctuée de lumière. Le *Nocturne de la Tour Eiffel* (153) n'atteste certes pas de cet aboutissement, mais par cette éclaboussure de lumière chargée de dynamisme, cette figure géométrique qui s'inscrit étrangement dans l'image (le cinéma nous a habitué à cet effet, du au reflet de la lumière sur les lentilles, qui traduit une lumière aveuglante), on pourrait se croire en présence d'un phénomène surnaturel, alors que l'image ne se voulait qu'une simple transcription des bâtiments de l'Exposition universelle de 1889.

Les difficultés de l'enregistrement instantané[4] ont suscité des images étranges, où se meuvent des formes plus ou moins palpables. La durée de la prise de vue n'a permis de saisir que les motifs stables, ceux en mouvement n'ont laissé qu'une trace incertaine. Ce genre d'effets visuels, résultat des limites de la technique d'alors, n'apparaît bien sûr qu'avec la photographie. Les exemples sont nombreux au XIXe siècle de la présence de tels «fantômes», notamment dans la photographie d'urbanisme, domaine où les opérateurs s'exposaient à de tels anachronismes du fait des passants qui inopinément pouvaient venir perturber le champ de l'objectif. Une image de Collard représentant la Place de l'Hôtel de Ville après la Commune (68) nous montre des passants, une voiture à cheval, perçus peu ou prou, selon la vélocité de leur mouvement; l'irréalité de la scène est encore accentuée par le fait que cette animation se déroule devant un décor en ruine, qui donne un peu le sentiment d'assister à un moment de théâtre.

Un exemple plus remarquable encore d'accident de l'instantané nous est fourni par le *Nu au tub* de Pierre Bonnard (51), une image que le peintre utilisa à partir de 1908 pour élaborer une série de dessins et de peintures sans faire intervenir en la circonstance le bougé du visage. Intéressé avant tout à ses débuts par la vision instantanée, c'est dans l'attitude naturelle de la toilette que le peintre a voulu ici saisir Marthe. La surprise lui a fait relever la tête et la pellicule a décomposé ce mouvement d'une façon que l'œil humain n'aurait pu percevoir, enregistrant deux formes plus ou moins consistantes mais dénuées de toute réalité. Traduction de la fragilité de l'instant, de tels effets occasionnés par les techniques du XIXe siècle, sont devenus dans la photographie du XXe siècle et jusqu'à nos jours, l'objet de fructueuses recherches visuelles.

(4) Cf. le chapitre 5, *Mouvement et instantané.*

51
P. Bonnard
Marthe au tub
vers 1908

Parmi les accidents du tirage, figure en premier lieu la solarisation, qui, redécouverte involontairement par Man Ray dans les années 20, devint rapidement un des «effets spéciaux» parmi les plus utilisés dans la photographie d'avant-garde. En vérité, la solarisation, déjà décrite par Armand Sabatier dès 1862, est due à une intrusion de la lumière au cours du développement, opération qui au XIXᵉ siècle devait se dérouler dans le noir absolu, et peut donc concerner à cette époque aussi bien le négatif que l'épreuve positive. Un exemple de négatif solarisé nous est fourni par cette admirable image de danseuse d'Edgar Degas (76)[5]. Employée comme technique expressive au XXᵉ siècle, elle s'applique surtout à l'épreuve positive, car il est plus aisé d'intervenir au moment de son développement à partir d'un négatif normal qu'inversement.

Visuellement, la solarisation a pour effet de cerner le motif, qui apparaît en positif, d'une zone plus ou moins accentuée de valeurs inversées. Ce mélange d'éléments positifs et négatifs donne, le plus souvent, un plus grand relief au motif mais lui fait perdre parfois tout caractère de réalité. Dans les images de A. Gardner (99 a à d) qui avaient pour objet de représenter dans un esprit documentaire un lieu de la Guerre de Sécession, l'accident de solarisation crée un effet des plus étranges, car la forêt semble comme saisie par une sorte de cataclysme. Cette image nous évoque certaines peintures de Turner, dans lesquelles, par des moyens évidemment très différents, l'artiste traduit à travers les violences de la nature, l'expression des terreurs humaines les plus primitives. Mais l'imagination la plus fertile dans le domaine du fantastique, ne pouvait concevoir un tel effet, produit des lois de la technique photographique, et rendu uniquement par le jeu des valeurs, alors que le fantastique issu des arts du dessin, s'il fait intervenir les valeurs, tient plutôt à l'agglomération des motifs et à leur ordonnancement.

Une planche de l'album de la Préfecture de Police déjà rencontré, dont l'objet était de montrer une salle de bains où un crime avait eu lieu, présente un cerne beaucoup plus léger, plus proche de l'esprit des recherches de la photographie d'avant-garde du XXᵉ siècle. L'accident est peut-être ici le résultat d'un fixage insuffisant de l'épreuve, qui constitue une autre cause de solarisation de l'image (267).

Bien qu'elle ne constitue nullement une solarisation, on peut en rapprocher le *Col des Géants* des Frères Bisson (46), qui juxtapose vision diurne et nocturne, phénomène dû à la différence d'intensité de la lumière entre ciel et terre, et que les photographes auraient pu corriger en procédant à l'aide de deux négatifs impressionnés en fonction de la luminosité de chacun de ces éléments, comme le fit Gustave Le Gray pour ses Marines.

Deux photographies de modèles dans un atelier (attribuées à tort au sculpteur Simart parce que provenant de ses papiers), admirables par leur cadrage insolite et leur contenu graphique et plastique, nous montrent un exemple à peu près unique d'accident occasionné par les techniques très rudimentaires alors d'agrandissement. C'est peut-être

(5) Qui, au tirage, devait donner une épreuve également solarisée.

là un des premiers essais dans ce domaine qui se pratiqua à ses débuts par projection à l'aide de la lumière du soleil. Cette technique incertaine explique le caractère «primitif» du rendu des valeurs, et aussi ce frissonnement de la matière qui parcourt entièrement les deux images, dû à un excès d'agrandissement de la couche d'émulsion collodionnée que l'épreuve contact n'aurait pas laissé apparaître. L'étrange effet visuel produit par cette matière insoupçonné trouble la perception du motif et contribue à le mettre à distance (260, 261).

Certains s'étonneront sans doute de voir figurer la saturation des valeurs de l'image parmi les accidents des techniques photographiques, car, à vrai dire, il n'est pas toujours évident de déterminer si cela est le fruit d'une volonté délibérée du photographe ou un effet fortuit dû au contenu d'un négatif sous-exposé, insuffisamment développé, ou à un développement trop prolongé de l'épreuve. Chez beaucoup de photographes du XXe siècle, l'utilisation de noirs profonds et l'atténuation de valeurs claires est un parti pris esthétique qui vise à donner une interprétation plus dramatique de la réalité. Au XIXe siècle, les photographes étaient dans l'ensemble soucieux de traduire les valeurs, et notamment les demi-teintes, avec l'exactitude que leur permettaient les techniques d'alors. Si la saturation de l'image peut nous apparaître donc comme un accident, c'est que la richesse des valeurs devient un obstacle au rendu de multiples détails existant dans le négatif, certains s'engloutissant dans les noirs, d'autres n'existant plus que confusément grâce à ce qui aurait dû être des demi-teintes, mais se réduit là à une variété un peu plus légère de noirs. Paradoxalement ces images saturées nous paraissent aujourd'hui comme les plus remarquables dans la production de la photographie du XIXe siècle, et notamment dans celle des années 1850, de par la violence d'expression traduite uniquement par le jeu des valeurs, et ceci encore une fois indépendamment de tout contenu intellectuel. La puissance des noirs ne fait qu'accentuer le pouvoir de schématisation (dans la perspective, le dessin, etc.) qu'a assez fréquemment la photographie. D'ailleurs les manipulations permises par les techniques modernes de tirage (masque, pastillage, etc.), nous montrent lorsqu'on les applique à des négatifs réalisés par ces «primitifs» que les épreuves du XIXe siècle ne donnaient pas l'ensemble des informations contenues dans le négatif, qui se trouvaient être sélectionnées en fonction de leur valeur. Un exemple de saturation des valeurs nous est fourni par une *Vue du Vésuve* de G. Caneva (58), dans laquelle les motifs de la montagne et de la mer ne constituent plus que deux masses en aplat, tant cette saturation les a rendus de façon schématique. L'atmosphère et la lumière naturelle du lieu ont complètement disparu au profit de valeurs puissantes, qui en traduisent une perception involontaire, mais autrement suggestive. Dans les arts graphiques, les noirs sont par excellence les tonalités de la vibration et de la sonorité.

Philippe Néagu

258
Anonyme français
Modèle dans un atelier
1840-50

154
J.-G. Eynard-Lullin
Autoportrait (?) avec son épouse sous les arbres
avant 1843

65
(attrib. à) V. Chevalier
Vue de la cour intérieure de l'Hôtel d'Uzès
vers 1848

240
W.-H.F. Talbot
La porte ouverte
1844

111
D.-O. Hill et R. Adamson
Clôture et arbre à Colinton
1844

155
R. Mac Pherson
Rome, le théâtre de Marcellus
vers 1855

40
Bisson Frères
La cathédrale de Rouen
vers 1855

66
A.-L. Coburn
Hyde Park Corner
1905

271
Anonyme français
Pointe des Poulaires (Quiberon)
vers 1900

268
Anonyme français
Affaire Peugniez (vue de la cuisine)
5 juin 1898

269
Anonyme français
Affaire Peugniez, découverte du cadavre de la dame Bertrand
5 juin 1898

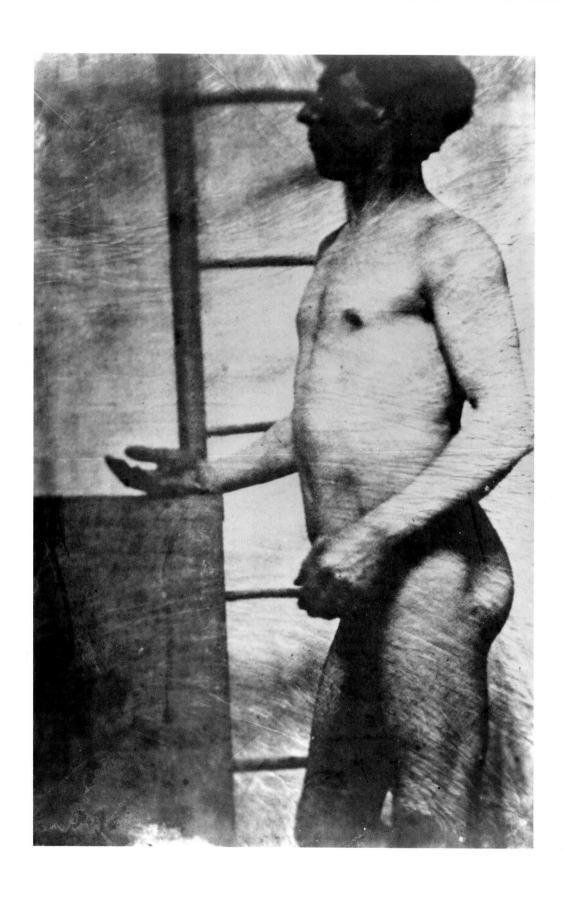

260
Anonyme français
Nu masculin
vers 1856

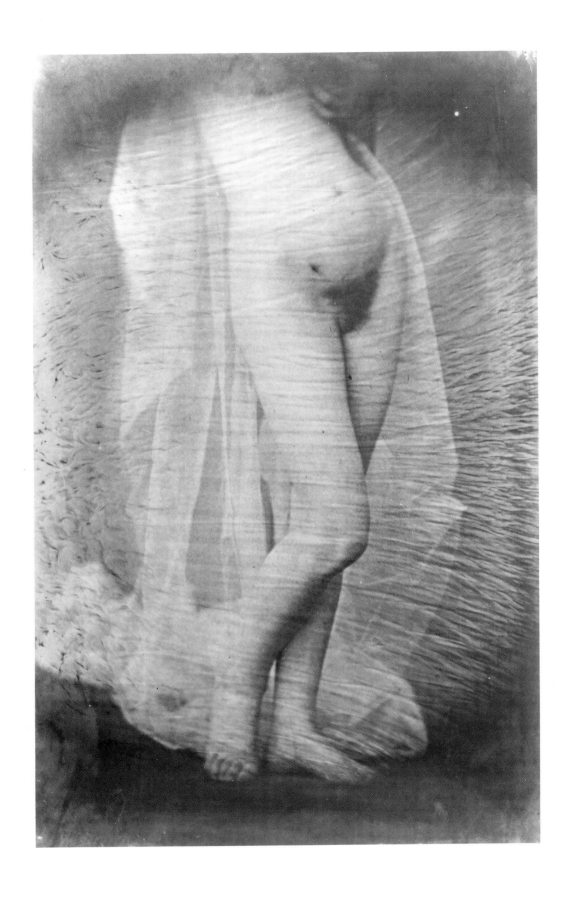

261
Anonyme français
Nu féminin
vers 1856

187
F. Nadar
Paris, Catacombes
1861

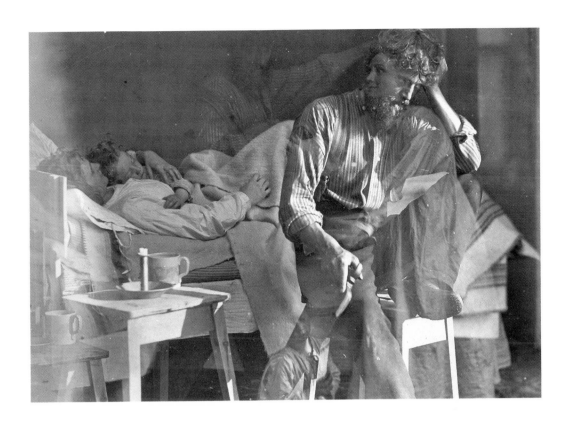

213
O.-G. Rejlander
«Temps difficiles»
1860

126
J.-H. Lartigue
Villa «les marronniers», Zissou en fantôme
juillet 1905

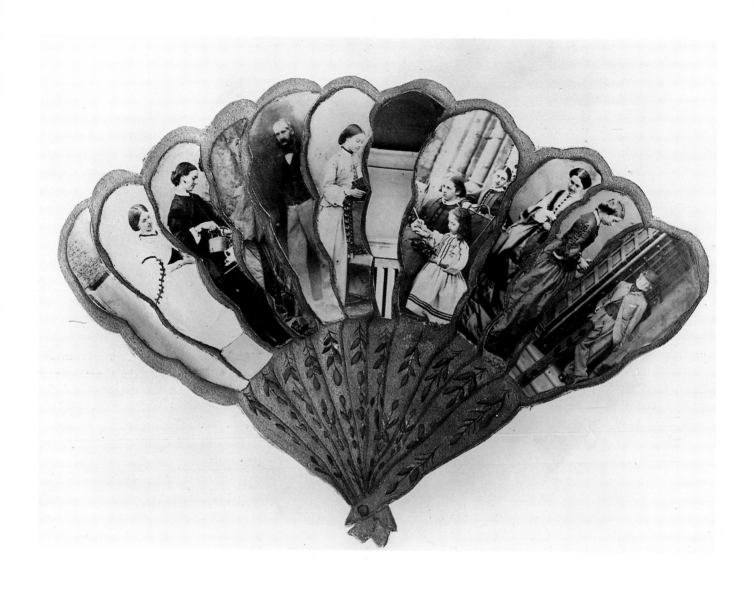

256
Anonyme français
Éventail, planche de «l'album Cavendish»
1865-68

257
Anonyme anglais
Bagages, composition humoristique, planche de «l'album Cavendish»
1865-68

99 a, b, c,
A. Gardner
«The Wildernerss Battlefield»
1864

267
Anonyme français
Affaire Marie Bigot, 3, rue Pierre Legrand
28 nov. 1897

76
E. Degas
Danseuse
1895

46
Bisson Frères
Col du géant
1860

58
G. Caneva
Le Vésuve
vers 1850

153
G. Loppé
Paris la nuit et la Tour Eiffel
vers 1889

3

La lumière

253
Cl.-H. White
Gouttes de pluie, planche XIII de *Camera work*
juillet 1908

La photographie est comme l'indique son étymologie, l'écriture de la lumière. Elle permet d'imprimer sur une surface enduite de sels d'argent les rayons lumineux reflétés par un objet diversement éclairé. La lumière joue donc un rôle unique et fondamental dans cet art mécanique, et une grande partie de l'art des photographes consiste justement à connaître ses réactions et à en jouer.

Sans tenir un rôle aussi exclusif dans les autres arts figuratifs, peinture, sculpture, dessin, gravure, la lumière y est cependant prépondérante; il n'y a pas de regard et pas d'art sans lumière. Et les artistes jusqu'en 1839, ont eu le temps d'en exploiter, pourrait-on croire, toutes les combinaisons possibles : lumière éclatante ou vaporeuse, clair-obscur, effets d'éclairages artificiels de toutes sortes, jeux de reflets ou d'ombres. Le noir et blanc — puisque nous avons décidé ne pas prendre en compte les essais des photographes dans le domaine de la couleur, qui tient une place mineure dans la photographie du XIXᵉ siècle — connaissait déjà à travers le développement infini de la gravure et du dessin, des effets lumineux qui peuvent paraître souvent proches de ceux qu'expérimentera la photographie, surtout au moyen de techniques dans lesquelles le trait à tendance à disparaître au profit des tons en à plat, tels le fusain, le lavis ou l'aquatinte. Il n'y a pas jusqu'à la peinture elle-même qui n'ait fait de brillantes incursions dans le domaine des grisailles ou des effets monochromes.

Cette riche tradition qui a préexisté à l'invention de la photographie, rend difficile l'évaluation, pour un œil davantage formé par la peinture, de son originalité pourtant indiscutable dans le traitement de la lumière. Ne croit-on pas que tout a été exploré en art jusqu'à ce qu'un grand artiste ne vienne nous prouver le contraire? Ici c'est une technique entière qui vient offrir des possibilités inépuisables. L'originalité du caractère de cette lumière vient en partie de son origine chimique et des divers matériaux employés pour les supports[1].

Cela dit, les photographes, eux-mêmes, il faut le reconnaître, ont souvent parlé de leur dette envers les peintres, dans la façon d'envisager la lumière. Il était normal qu'ils s'inspirent de leurs aînés pour trouver des modèles. Félix Nadar fut particulièrement attentif au soin apporté à l'étude de la lumière dans l'élaboration de ses portraits, dont il avait bien compris, en regardant les maîtres, que c'est elle qui permettait de créer le climat psychologique souhaité. Mais il avait parfaitement conscience d'utiliser une technique bien spécifique, et lui et son frère ne cherchèrent jamais dans leurs effigies à pasticher la peinture, comme le fit trop souvent Adam Salomon imitant des figures du Rembrandt de jeunesse ou celles de Gérard Dou, avec d'ailleurs un grand succès à l'époque.

Dans les portraits des frères Nadar, la lumière anime non seulement les traits du visage, mais elle fait vibrer les fonds, afin de mieux détacher la figure; et les rapports d'opposition de tons entre les deux sont toujours maîtrisés à des fins expressives. Les photographes de l'époque se servaient souvent d'un fond de drap blanc destiné à renvoyer la lumière

Charles Clifford
Alhambra, Grenade, Cour des Lions
octobre 1862
Montréal, Centre Canadien
d'architecture

(1) Cf. chap. 2.

et avaient également recours à des réflecteurs, que l'on observe parfois dans les mains des modèles.

En photographiant le sculpteur Frémiet (246), Adrien Tournachon a eu l'idée d'adoucir la puissance avec laquelle la lumière découpe les traits du visage en utilisant pour le fond un drap distendu qui crée un effet d'animation presque baroque, par une succession d'ombres et de lumières largement traitées. Dans son propre autoportrait (244), un chapeau de paille à larges bords plonge le milieu du visage dans une ombre chaude et transparente où les traits se laissent parfaitement lire, tandis qu'au buste vêtu de sombre, répond l'ombre élargie de la silhouette sur le mur clair.

A l'inverse, Cameron, dont l'inspiration picturale est beaucoup plus manifeste que chez les frères Nadar, mais dont l'art n'est pas moins photographique, malgré tout, a le plus souvent aimé envelopper d'obscurité ses modèles dont seul émerge mystérieusement le visage; dans le célèbre portrait de la mère de Virginia Woolf, Julia Jackson (57) presque toute la figure est mangée par l'ombre à l'exception du lumineux profil — ici la photographie paraît vouloir rivaliser avec la sculpture.

Ni Victor Regnault, ni Louis Robert, merveilleux amateurs, plus précoces que Nadar, n'ont jamais théorisé sur la lumière, mais ils ont su en jouer en virtuoses. Sans sacrifier l'expression du visage, le portrait de Madame Regnault (210) est une véritable déclinaison de l'alternance de l'ombre et de la lumière : reflets à travers une fenêtre, motifs d'une dentelle ou d'un tissu moiré, et jusqu'aux volutes compliquées des pieds d'un guéridon, le photographe semble avoir tout utilisé pour développer ce même thème.

Louis Robert, lui, aime modeler ses portraits de personnes isolées ou en groupe, au moyen du clair-obscur (224); ils y puisent une extraordinaire vivacité qui remplace avantageusement l'absence d'instantané véritable. Rien de moins figé que ses portraits !

En reproduisant des spectacles quotidiens, une scène de bain public (137) ou le chantier de construction de l'Opéra (87), Henri Le Secq, avec la subtilité et la poésie qui lui sont habituelles, et Emile Durandelle, avec plus de brutalité, surent profiter des éléments structurels qu'ils photographiaient pour créer des jeux d'ombres et de lumières quasiment abstraits, comme aurait pu en souhaiter un Moholy-Nagy.

Deux vues de colonnades, sujets éminemment photogéniques puisqu'ils sont rythmés par l'opposition de noir et blanc, prises à quelques années de distance nous montrent les effets très différents que l'on pouvaient obtenir à partir d'un même support le négatif papier, suivant la qualité de ce papier et la façon de le traiter. La galerie du cloître de St-Trophime d'Arles prise en 1852 par Charles Nègre (192) présente un traitement schématique, réparti en larges masses d'ombre et de lumière, tout à fait dans la tradition du lavis romantique. Au contraire, dans le Palais Nayak Tiru-Malaï de Madura tel que l'a photographié en

1858, Linnaeus Tripe (247) le bel effet de clair-obscur n'empêche pas la précision du rendu des détails des colonnes ou des chapiteaux.

L'emploi du négatif verre lui-même, n'exclut dailleurs pas forcément un traitement par masse d'ombres comme nous le montre cette façade et cette cour d'Hôtel parisien (12) dues à Atget et envahies par l'obscurité : dans cette image, aussi sûrement que dans les séries peintes par Monet, on observe combien un changement d'éclairage transforme n'importe quel objet ou monument. Elle nous fait comprendre également que si le support matériel conditionne dans une certaine mesure l'aspect de l'image photographiée, les opérateurs on su inventer toutes sortes de «cuisines» pour en assouplir, en enrichir ou même en détourner les effets.

Dans un album consacré à Madagascar, et qui relève du reportage géographique et ethnographique, Désiré Charnay transfigure, ce qui aurait pu n'être qu'une très sèche étude de types physiques de Marou et Malgache (62) en une splendide «scène nocturne» prise en plein jour, bien entendu : les corps des femmes noires, l'une de face, l'autre de profil, la troisième de dos, groupés en une sorte de réinterprétation moderne du thème des trois grâces, se fondent sur l'écran sombre formé par les cases, tandis que seules quelques lueurs brillent sur leurs épaules, leurs bras ou leurs pieds.

A l'inverse, les photographes ont aussi poussé très loin des recherches de demi-teintes, dans une gamme de tons clairs obtenus sous une lumière diffuse. Clarence White, un pictorialiste à la technique le plus souvent pure — au sens de non manipulée — s'en est fait une véritable spécialité (253), tout comme George Seeley (227) également membre du groupe d'Alfred Stieglitz. Chez ces derniers, le goût des symphonies en blanc a très certainement été encouragé par l'art de Whistler. Mais on trouve déjà l'amorce de telles recherches dans une image d'un photographe du Second Empire, Boitouzet (47).

La précision qui fut dès les débuts de l'invention du médium à la fois source d'admiration de la part des curieux ou des scientifiques, et de rejet de la part des artistes qui reprochaient à la photographie de ne faire grâce d'aucun détail, allait se révéler au contraire un enrichissement pour l'esthétique photographique, notamment en exaltant un certain type de lumière. Dans ce domaine, Stieglitz ou Weston, en tireront un parti éclatant dans les années 1920. Au XIXe siècle si l'on excepte les photographes de l'architecture des ingénieurs, ou des maîtres du daguerréotype, tels Southworth & Hawes, Frederick Evans semble avoir été l'un des premiers à explorer en profondeur cette veine qui privilégie clarté lumineuse et précision. Il avait d'ailleurs abordé cette technique par le biais de la microphotographie de coquillages, pratiquée, sans aucune raison scientifique, pour le simple plaisir esthétique. Il fut l'un des rares pictorialistes à ne pas utiliser la mise au point floue, ou au moins de façon très discrète, et l'agrandissement de l'épreuve qui atténue toujours la finesse du rendu. Cette évocation d'une forêt — un de ses thèmes de prédilection — hantée par le souvenir de l'écrivain

E.J. Muybridge («Helios»)
Kee-koo-too-yem
Lac Miroir, vallée du Yosemite
1867
Berkeley, University of California,
Bancroft Library

George Meredith (92), nous fascine par sa lumière cristalline, dont on aurait du mal à trouver un équivalent en peinture[2] et qui en rehausse le lyrisme. L'arbre de Colinton (110), photographié par Hill et Adamson au moyen d'un négatif papier, est évidemment à l'opposé, par sa conception de la lumière floue et diffuse, mais qui elle aussi met en valeur le sujet en le nimbant d'une sorte de halo poétique.

Par sa transparence et son immatérialité, la photographie semblait la technique toute désignée pour traduire les ombres (230) — N'est-elle pas comme l'écrivait l'inventeur William Fox-Talbot *The art of Fixing a Shadow*[3]? — et les reflets, tous thèmes ayant abondamment inspiré par ailleurs, autant les peintres et dessinateurs que les graveurs. Tandis que Muybridge s'intéresse à l'effet miroir d'un lac (fig. XX) Frederick Evans (91) cherche à contraster la texture de la réalité vraie, le morceau de nature entrevu au travers d'une baie, avec celle, spectrale et déformée, que renvoie la vitre ouverte.

Atget, qui a photographié de nombreuses boutiques et cafés parisiens, a été bien sûr, constamment confronté à ce thème du reflet dans les vitrines et l'a magnifiquement développé. Il joue souvent, comme Zola à l'occasion[4], sur l'ambiguïté des rencontres sur une même vitre entre les reflets d'images situées derrière la vitre (figures, objets divers collés contre elle, à l'intérieur du café ou de la boutique) ou devant, mais suffisamment éloignées pour ne pouvoir être vues directement par le spectateur[5], les arbres et les constructions de la rue en face, ou l'opérateur lui-même, dissimulé sous son drap noir, créant une confusion des espaces extrêmement excitante pour l'œil, et donnant lieu parfois à des mélanges absurdes (18) qui ravirent les surréalistes, lesquels s'empressèrent de publier de telles images dans leurs revues[6].

Françoise Heilbrun

(2) Au XVIIe siècle, un peintre néerlandais tel Pijnacker a peint des vues de forêts dans une lumière d'une précision quasi surréaliste mais dans l'intention de créer un effet baroque très différent de l'esprit des forêts de Frederick Evans.

(3) C'est le titre choisi pour l'exposition de photographies qui s'est ouverte cette année à la National Gallery de Washington.

(4) Cf. la photographie de sa femme lisant dans un hôtel à Londres, prise du dehors, cf. François Émile Zola, *Zola photographe*, Paris, Denoël, 1979, n° 247 p. 97. Pour des raisons extérieures à notre volonté, il ne nous a pas été possible d'exposer d'œuvres de Zola et de donner ainsi au photographe amateur la place qu'il méritait dans ce livre.

(5) Manet dans son *Bar des folies Bergères* a brillamment traité ce thème.

(6) Notamment dans *La Révolution surréaliste*.

210
V. Regnault
La femme de l'artiste en mantille
vers 1850

241
W.-H.-F. Talbot
Rouen
16 mai 1843

137
H. Le Secq
Paris, bains publics
1852-53

87
E. Durandelle
Paris, Construction de l'Opéra (Chantier)
vers 1870

192
Ch. Nègre
Arles, galerie est du cloître de St Trophime
1852

247
L. Tripe
Madura, Palais Nayak Tiru Malai
1858

2
Th. Annan
Ruelle à Glasgow, n° 83 High Street
1868-71

12
E. Atget
Paris, 6, rue de Jarente, IVe arrondissement, vieille maison
1916 à 1919

47
J. Boitouzet
Écolier
vers 1855

227
G. Seeley
«Le paravent blanc», *Camera work*
janvier 1910

110
D.-O. Hill et R. Adamson
Arbre à colinton
1843-47

92
F. Evans
A Deerlap Woods, lieu de chasse de George Meredith
vers 1909

244
A. Tournachon
Autoportrait au chapeau de paille
1854-55

246
A. Tournachon
Le sculpteur Frémiet
1854-55

130
G. Le Gray
L'Impératrice Eugénie sur son prie-Dieu aux Tuileries
1856

57
J.-M. Cameron
Julia Jackson de profil
1867

223
H. Rivière
La femme de l'artiste et son chien
1895-1900

224
L. Robert
Henriette, fille de l'artiste
vers 1850

62
D. Charnay
Madagascar, «Marou, Malgache, Marou»
1863

230
A. Stieglitz
Ombres sur le lac
1916

9
E. Atget
Au tambour, 63 quai de la Tournelle
1908

91
F. Evans
Kelmscott Manor, Oxfordshire
1896

Point de vue et cadrage

176
Mayer et Pierson
La comtesse de Castiglione, l'œil rehaussé d'un cadre
vers 1864

«Il est certain que la photographie et le cinéma ont modifié radicalement chez chacun de nous la façon dont il appréhende le monde... je ne peux écrire mes romans qu'en précisant constamment les diverses positions qu'occupent dans l'espace le ou les narrateurs (champ de la vision, distance, mobilité par rapport à la scène décrite) ou, si l'on préfère dans un autre langage (angle de prise de vue, gros plan, plan moyen panoramique, plan pour travelling, etc.)».

Claude Simon cité par Jean Keim
La photographie et l'homme, Paris 1971

Le cadrage est un acte fondamental en photographie, car il détermine le motif. «The central act of photography, the act of choosing and eliminating, forces a concentration on the picture edge — the line that separates in from out — and on the shapes that are created by it»[1].

Tandis que le peintre compose, le photographe qui reproduit ce qu'il a sous les yeux ne fait que choisir ou découper dans la nature le «morceau» de réel qui l'intéresse. Ce choix est pourtant déjà un acte créateur car il y a, comme on dit, des «angles morts» et l'opérateur doit trouver au contraire le point de vue révélateur, celui à partir duquel, la lumière aidant, le motif devient significatif : «Putting one's head under the focusing cloth is a thrill... to pivot the camera slowly around, watching the image change on the groundglass is a revelation; one becomes a discoverer... and finally the complete idea is there»[2].

Le choix du point de vue est donc le complément indispensable du cadrage auquel il donne tout son sens[3], suivant la position de l'opérateur et de son appareil par rapport au sujet photographié, bien en face, de côté, dessus ou dessous, loin ou près, ou encore, à mi-distance.

Tandis que le peintre peut disposer, selon son désir, ses différentes figures ou motifs dans l'espace de sa toile et ne doit obéir qu'aux lois de l'expression et de l'harmonie formelle, le photographe lorsqu'il s'appuie sur le réel, n'a comme possibilité d'intervention que ce choix du point de vue et du cadrage, combinés à celui des conditions lumineuses, à ce détail près qu'il peut transformer chimiquement l'image contenue dans le négatif, s'il le souhaite, au moyen du développement et du tirage[4]. Mais, même pour un photographe très à cheval sur l'idée de l'honnêteté en photographie qui consiste à ne rien changer à la vision du négatif, tel Frederick Evans pour le XIXe siècle[5], les possibilités de renouvellement de l'image, offertes par le choix du cadrage et du point de vue sont infinies. Et c'est là que réside justement l'originalité de la vision de tout grand photographe, dans cette possibilité d'inventer sur le sujet en apparence le plus rebattu, une interprétation nouvelle.

(1) Szarkowski, 1966, p. : «l'acte déterminant en photographie, qui consiste à choisir et à éliminer, met l'accent sur le pourtour du motif, là où se définit tout ce qui en fait partie et tout ce qui lui est extérieur, et sur les formes nouvelles engendrées par ce pourtour.»

(2) Edward Weston, *Camera Craft*, XXXVII, 1930, cité par Szarkowski, 1966 : «Mettre sa tête sous le drap noir, pendant la mise au point, est exaltant... faire lentement pivoter la caméra autour de son axe et observer les transformations de l'image dans le viseur est une révélation; l'on devient un inventeur... et, enfin, ce que l'on voulait montrer prend forme sous nos yeux.»

(3) Szarkowski, lui, non seulement distingue pour plus de clarté en deux chapitres le point de vue du cadrage, mais il parle de celui-là en premier pour bien montrer que c'est dans la définition du cadrage que réside la principale originalité de la photographie.

(4) Cf. le chapitre 2, *Le Médium*.

(5) Dès les débuts de la pratique de la photographie sur papier, faisant intervenir le négatif, donc la possibilité d'une manipulation chimique ou graphique, les photographes ont beaucoup glosé sur la possibilité ou la nécessité d'intervenir ou non, manuellement, dans le processus photographique. Mais cette idée n'est devenue pour certains partisans un véritable crédo esthétique d'une pureté intransigeante qu'au tournant du siècle autour du pictorialisme. Elle trouvera ses prolongements les plus rigoureux autour des années 1920 avec notamment Edward Weston. Vers 1850, un photographe comme Edouard Baldus dont la beauté de la construction des images est entièrement contenue dans le négatif se permettait néanmoins de nombreuses retouches à l'encre sur le négatif.

Cela dit, seuls ceux qui ont quelque connaissance de la pratique photographique peuvent se représenter les contraintes auxquelles l'opérateur est soumis lors de la prise de vue. Comme le fait très justement remarquer Szarkowski, c'est la recherche de l'angle lui permettant de résoudre ce genre de problèmes qui donne à la mise en page photographique toute son originalité : si le peintre ou le dessinateur peut, sans difficultés, représenter dans son entier une façade comme celle de l'église de Saint-Maclou, malgré les maisons anciennes qui rétrécissent les abords de la place, des photographes, qu'il s'agît d'Edmond Bacot ou des frères Bisson, ne disposant pas du champ nécessaire pour ne pas déformer la perspective de la façade, ne pouvaient montrer qu'un fragment central de celle-ci encadré au premier plan par les maisons fermant la place, obtenant un effet de contraste entre les plans qui accentue le sentiment de mystère de la scène (45). Dans toutes les prises de vue d'intérieur, surtout lorsque l'espace est restreint et qu'il est nécessaire de capter le maximum de cet espace, il est impossible même au tournant des XIXe et XXe siècles, de donner une représentation normale de la perspective : ainsi les photographes qui devaient offrir, par exemple pour les registres de la police, un constat détaillé de crimes commis le plus souvent dans le volume étriqué des

H.C.
Bisson Frères
Portail du château d'Heidelberg,
Allemagne, avant 1858
Montréal,
Centre Canadien d'architecture

H.C.
Eugène Atget
Saint-Cloud, racines d'arbre
1924
New York, Museum of Modern Art
acquis avec la participation de Shirley C. Burden

appartements petits-bourgeois (268 et 269) utilisant le grand angle, donnaient cet effet de perspective tordue, savoureuse sur le plan esthétique et que bien des photographes du XXe siècle allaient utiliser, cette fois sans autre nécessité que la recherche d'une nouvelle expressivité. L'effet de superposition des plans en profondeur dans les vues d'architecture de Baldus pour la Mission Héliographique (24) n'est pas, lui, comme chez les frères Bisson, imposé par la nécessité de la prise de vue, mais librement choisi pour suggérer, dans les deux dimensions, l'impression de volume.

La photographie d'architecture a connu une floraison incomparable dans la France du Second Empire, surtout, à cause du développement de l'urbanisme. Bien sûr, on a pu observer les mêmes phénomènes dans la peinture de divers pays et à toutes les époques, notamment dans la Hollande du XVIIe, pour les mêmes raisons, ou l'Italie du XVIIIe siècle; mais elle prend un caractère différent en photographie à cause de l'attention portée aux détails — grâce à l'emploi du négatif verre souvent de dimensions exceptionnelles (40) et du tirage contact — qui convient parfaitement à la traduction de cette notion, toute nouvelle, de tissu urbain. Les explorations systématiques des rues du vieux Paris, destinées à la démolition pour être remplacées par les projets Haussmanniens et que ce dernier a réalisé à partir de 1859, à la demande de la municipalité, sont composées de façon à bien faire comprendre l'implantation de ces rues (170 et 171), et témoignent d'un souci informatif qui dépasse et enrichit la simple recherche de pittoresque des aquarelles ou des gravures romantiques. Avec quelle force est rendue le saisissant effet spatial de l'*Impasse de l'Essai*, débouchant sur le marché aux chevaux déployé devant nous comme la scène d'un théâtre (169). Et l'effet très dramatique de cette célèbre photographie est d'autant plus puissant qu'il n'est plus accompagné d'aucune recherche de lumière et se présente avec la simplicité d'un document.

Dans ce registre de la photographie d'architecture un thème entièrement neuf, celui de l'architecture des ingénieurs, ponts, gares, voies ferrées que les commanditaires étaient fiers de pouvoir faire reproduire, aussitôt les ouvrages terminés, en de somptueux albums, offrit aux opérateurs un champ fertile en inventions. D'autant qu'il y avait un secret accord entre les formes rigides et abstraites du matériau employé par prédilection dans ces constructions, le fer, et la technique de reproduction : la transparence glacée du négatif verre qui a su exalter les qualités des premières, non seulement avec dix ans d'avance — dès 1851 — mais avec une justesse incomparable avec celle de l'un des peintres le plus doué du genre : Gustave Caillebotte. Le photographe Edouard Baldus, auteur des deux albums, des Chemins de fer du nord en 1855 (26) et du Paris-Lyon Méditerranée, 1859, fut le plus précoce et le plus magistral dans ce domaine, par sa façon inventive de montrer combien cette architecture nouvelle transformait la nature, sans encore la défigurer, pour créer les paysages modernes dans toute leur beauté révolutionnaire.

Mais d'autres comme les frères Bisson (41 et 42), Collard ou d'autres photographes, moins connus, travaillant pour l'administration des Ponts et Chaussées tels Costerhuis (72) sauront, eux aussi, admirablement utiliser les combinaisons géométriques, plus ou moins sobres ou décoratives, contenues dans ces structures. Cette photographie nous paraît aujourd'hui tout à fait d'avant-garde, car elle peut souvent rivaliser sans dommage avec la photographie de l'architecture industrielle des années 1917 à 1930 par les constructivistes et les précisionnistes, tels Charles Sheeler ou Paul Strand. Mais en fait, c'est le Second Empire lui-même qui était, par certains aspects, totalement moderne, lui qui par ailleurs se montra englué dans l'éclectisme, l'académisme et le pastiche.

Dans le catalogue de la remarquable exposition récemment organisée par Peter Galassi *Before photography*[6], ce dernier démontre que l'originalité de certains points de vue et cadrages tout autre que frontaux, et de mises en page fragmentaires, qui vont à l'encontre de la tradition de la perspective mise au point pendant la Renaissance est déjà caractéristique de tout en courant de la peinture des années 1810 à 1830 en Europe, c'est-à-dire en France, en Angleterre mais surtout chez les nordiques, les danois ou, par prédilection, les allemands préromantiques. Notamment avec le thème central de la fenêtre ouverte sur un morceau de nature, si cher à Friedrich ou Carstens mais également aux photographes «primitifs» tels Bayard et Talbot (241), pictorialistes, tenants de la photographie pure, tels Stieglitz ou Frederick Evans (91) ou, enfin, de l'époque moderne, tel Kertesz. La même idée est reprise encore, sur un mode plus philosophique que formaliste par Roland Recht dans sa *Lettre de M. de Humboldt*[7]. Cette filiation est indubitable, mais la photographie n'est-elle pas justement apparue au moment où les mentalités évoluent et recherchent, notamment à travers l'utilisation de la caméra obscura, de la caméra lucida, des panoramas ou dioramas, une autre manière de transcrire la nature et d'aborder la perspective?

Et justement, les problèmes nouveaux que soulèvent la position spatiale du photographe par rapport au sujet qu'il doit reproduire, problèmes auxquels le peintre pouvait faire face, grâce à tout un système d'études préparatoires susceptibles d'être transférées à la bonne échelle, suivant les points de repère donnés par la mise au carreau, vont très tôt aider à formuler une nouvelle conception plus moderne de la perspective, dans le sens des théories qu'élaboreront des critiques comme Duranty dans les années 1870. On en rencontre des exemples dans les études privées de certains photographes que l'on redécouvre en nombre toujours croissant dans les cartons conservés dans leurs familles.

Ainsi, on attribue traditionnellement à Gustave Le Gray la vue du salon, éclaboussé de lumière, des Aguado, sur la place Vendôme? datable entre 1850 et 1855 (fig. 1); la ligne d'horizon est située très haut comme dans les *Portraits dans un bureau* de Degas de 1873 (musée de Pau) ou la *Place de la Concorde* de 1876 du même peintre et les modèles,

(6) Présentée au Musée d'Art Moderne de New York, éditeur du catalogue, en 1981.

(7) Paris, 1989. Roland Schaer a attiré notre attention sur ce livre.

Attribué à G. Le Gray
Le comte Olympe Aguado dans son appartement de la place Vendôme
1850-1855

appuyés familièrement à la cheminée ou penchés sur le balcon, sont étroitement insérés dans le cadre de leur activité quotidienne, comme le préconisera Duranty. Dans deux études de modèles féminins (189 et 190) saisis dans une pose d'un naturel jamais vu jusqu'alors en peinture, par Charles Nègre, dans son atelier en 1848, ce dernier, préfigure également la liberté des mises en page d'un Degas par son point de vue tout naturellement plongeant et désaxé. Bien sûr ce sont là des exemples, encore rares pour l'époque, et qui ne manifestent pas comme chez Degas une recherche volontaire et systématique de renouvellement de la perspective. Il faudra attendre la mise au point des émulsions instantanées, vers 1888, pour que des artistes tels Henri Rivière (218), le comte Primoli, Pierre Bonnard (48 et 50), Edouard Vuillard, George Breitner ou encore Jacques-Henri Lartigue, donnent leur expression parfaitement harmonieuse et convaincante de l'esthétique de l'instantané dans laquelle le cadrage joue un rôle fondamental. Mais si l'instantané fut d'abord essentiellement formulé par des peintres, il ne représente qu'un avatar de courte durée en peinture, alors qu'il connut en photographie un développement continu jusqu'à l'épanouissement de l'art du reportage des années 1930 à nos jours.

Le caractère paradoxal de la position de l'opérateur par rapport à son modèle, n'est d'ailleurs pas toujours perceptible pour le spectateur s'il n'est pas lui-même un pratiquant de cet art qui suppose le plus souvent une très grande mobilité physique : qui pourrait penser en contemplant les portraits de fillettes de Lewis Carroll, si classiques d'apparence, que ce dernier devait s'accroupir, ou se tenir carrément à plat-ventre pour pouvoir donner à son modèle toute l'ampleur désirée dans la mise en page ? De même, la sobriété des portraits de Félix Nadar ou de son frère Adrien Tournachon ne doit pas faire oublier les nombreuses astuces de position ou de costume, imperceptibles mais très efficaces, auxquelles ils avaient recours pour mettre, encore plus en valeur la présence des fortes personnalités auxquelles il avait affaire.

Dans le même but, Julia Margaret Cameron, eut, la première recours à un type de point de vue qui, en photographie dépasse les possibilités expressives de la peinture : les grands hommes de son temps qui se trouvaient être aussi ses amis, de Herschel et Tennyson à Watts sont figurés par elle en très gros plan, le visage seul de ces génies émergeant d'un vide qui souligne leur intemporalité.

Ce procédé nous donne un sentiment de proximité fascinante, que seuls pourront nous faire éprouver par la suite les gros plans cinématographiques, ceux d'un Dreyer par exemple, grâce auxquels la fusion, accentuée par l'obscurité alentour, est totale entre le spectateur et le modèle[8].

Parfois cette intimité avec le personnage représenté peut s'exprimer sur le mode inverse, c'est l'opérateur qui cette fois domine son modèle, comme pour suggérer son attendrissement : ainsi, les fils de Le Secq, encore nourrissons ou très jeunes (136 et 144) vus par leur père, ou la passivité sensuelle du portraituré : Marie Roux, le modèle de la Musette des *Scènes de la Vie de Bohème* de Mürger, contemplée par Adrien Tournachon (245).

Avec la mise au point, autour de 1888, des appareils portatifs de type Kodak, qui souvent tenaient dans la main, et dont les émulsions sur film souple étaient suffisamment rapides pour pouvoir en pleine lumière saisir une image au 40e de seconde, donc pour ne pas réclamer le secours d'un pied, l'adoption de nouvelles perspectives de plus en plus radicales, notamment de bas en haut et de haut en bas, étaient désormais accessibles aux millions d'amateurs qui achetaient ses appareils.

Encore fallait-il qu'ils en eussent seulement l'idée, et l'on peut, pour l'instant encore, compter sur les doigts de la main ceux qui surent faire preuve d'une telle curiosité — Alexander Rodtchenko qui en fut un génial explorateur dans ses reportages ou ses portraits des années 1920, se plaignait encore en 1928 de ce que la «psychologie (de l'œil) ou du nombril en peinture» — c'est-à-dire les lois de la perspective élaborées sous la Renaissance — «s'abat(tait) avec son prestige séculaire sur les photographes modernes et lui fai(sai)t la leçon...»[9], «nous ne voyons pas ce que nous regardons. Nous ne voyons pas les positions, les perspectives remarquables qu'offrent les objets. Nous qui sommes dressés à voir les choses habituelles, à voir ce qu'on nous a inculqué, nous avons à découvrir le monde du visible. Nous devons révolutionner notre mode de pensée visuel...» continuait-il encore, lui qui voyait dans la photographie le seul moyen d'expression capable de rendre «les points de vue

(8) Ces gros plans introduisent en outre dans les compositions religieuses de Cameron, qui se veulent les plus idéales possibles, *Light and Love* (54), *Hosanna* (55) ou *Prayer and Praise*, de 1865, le sommet du genre (Malibu, Musée Getty), un savoureux et contradictoire effet d'hyper-réalisme, en insistant sur le ventre rebondi de l'enfant Jésus ou sur la paille sur laquelle il est couché qui luit dans l'obscurité, alors que le titre de l'œuvre appelle plutôt au recueillement. Dans de telles œuvres, l'audace de la mise en page des figures, coupées, occupant tout l'espace, dérive en droite ligne de la peinture maniériste florentine ou de la peinture baroque italienne, que l'artiste connaissait parfaitement. Mais ces détails, dits triviaux, sont rendus avec une présence photographique bien différente en qualité de la présence picturale que de tels motifs avaient dans les tableaux de Caravage par exemple, et cela change tout. Même dans la peinture la plus réaliste, comme chez un Van Eyck, le morceau de bravoure en trompe-l'œil du reflet d'une fenêtre sur un miroir — transcrit chez Ingres sur le bois poli d'un fauteuil — est encore soigneusement sélectionné et stylisé.

(9) *Les voies de la photographie contemporaine*, 1928. Cf. Rodtchenko, 1988, p. 141.

les plus intéressants pour la vie moderne qui sont les points de vue de haut en bas et de bas en haut et leurs diagonales»[10]. Rodtchenko connaissait bien le contexte de la photographie de sa génération en Europe centrale et orientale, mais il ne connaissait visiblement pas l'œuvre photographique du graveur Henri Rivière, et pour cause puisqu'il ne fut jamais montré de son temps et fut redécouvert récemment grâce à l'action de ses descendants[11]. Lors de l'achèvement de la Tour Eiffel en 1889, Henri Rivière eut l'occasion de réaliser sur ce monument, qui allait être également un objet de prédilection pour Rodtchenko, un reportage dont l'audace des points de vue anticipe avec vingt-cinq années d'avance sur le meilleur de la production de Rodtchenko (219, 220, 221).

Bien évidemment les formes aérodynamiques de cette étonnante construction invitait à de tels parti-pris, et le comte Primoli à la même époque, Zola, dix ans plus tard, furent, eux aussi, heureusement inspirés par elles; mais c'est Rivière incontestablement qui sut faire preuve de la plus magistrale invention sur ce thème. Quelques années plus tôt, vers 1886, il avait, également, contraint par un étroit champ d'action, joué de façon révolutionnaire avec les perspectives verticales, en voulant garder le souvenir du fonctionnement du théâtre d'ombres du célèbre cabaret du «Chat noir» à Montmartre dont il était lui-même l'inventeur (216, 217).

Maître de l'instantané plutôt que précurseur du constructivisme, Giuseppe Primoli avait cependant, lui aussi, en photographiant des fêtes foraines, ou des escaliers d'églises italiennes (tous sujets qui invitent aux acrobaties visuelles), su faire preuve d'une liberté de mise en page très poussée même pour l'époque (202, 203).

Le pictorialiste Alvin Langdon Coburn, quant à lui, a été porté à employer certaines contre-plongées par ce goût des schémas abstraits qu'il avait hérité de son étude approfondie des principes de l'art japonais. Sa célèbre *pieuvre* de 1913 (67) préfigure de façon troublante la non moins fameuse vue prise de la Tour de la Radio de Berlin par Moholy-Nagy, datée de 1928.

Bien plus tôt encore autour de 1865, Carleton Watkins avait déjà eu l'idée de photographier en plongée l'un des arbres du Yosémite (252) selon un point de vue qu'Alexander Rodtchenko allait systématiser.

La photographie aérienne fut inaugurée par Félix Nadar avec ses vues prises en ballon en 1860. Elle devint systématique pendant la Première Guerre mondiale en 1914-18. On sait l'importance qu'eurent pour Edouard Steichen ses propres photographies prises alors, à bord d'un avion tandis qu'il était enrôlé dans l'armée de l'air; elles le firent passer brutalement du pictorialisme à la photographie «moderne» en lui donnant d'abord le goût de la vision précise, ensuite celui de l'abstraction. Beaucoup de photographes restés anonymes firent la même expérience, sans que l'on puisse connaître avec certitude l'impact que cette pratique dut avoir sur eux, comme on le sait pour Steichen et pour un photographe amateur tel le collectionneur Léon Gimpel (102).

(10) Ibidem, p. 146.

(11) Ce qui permit au Musée d'Orsay d'organiser la première exposition et le premier catalogue consacré à cet aspect de l'œuvre de l'artiste en 1988.

Le cadrage photographique introduit le thème du détail, fondamental pour le médium. Tantôt ce détail est conçu comme partie d'un inventaire : lorsque les photographes américains réalisèrent à la demande du gouvernement, leurs reportages photographiques sur l'ouest du pays, au moment même de la conquête, entre 1870 et 1900, des photographes, tel William Bell accumulèrent des portions de paysages (33) qui, s'ils avaient parfois le caractère grandiose des paysages peints par leurs prédécesseurs, Bierstadt notamment, ne se présentaient pas comme une unité, un symbole de la grandeur du paysage américain, mais comme des fragments, bien déterminés géographiquement, de celui-ci. En ce sens la fonction du détail photographique rappelle celle de l'étude peinte, dessinée, ou sculptée de l'artiste qui s'exerce sur les différentes parties de l'anatomie avant d'aborder le corps humain dans son entier, et procède de même pour un paysage ou une composition historiée. A l'occasion le détail en photographie remplit aussi une fonction symbolique entachée de fétichisme. Sans vouloir anticiper sur le chapitre du *motif valorisé*, remarquons ce goût affirmé de l'atelier de Jersey pour la représentation de la main du poète Victor Hugo (249) ou de celle de sa femme, ornée d'un bracelet enfermant des boucles de cheveux de chaque membre de la famille.

Un peu plus tard l'inventive et narcissique comtesse de Castiglione fera reproduire les diverses parties de son corps magnifique (176, 177 et 178 a et b), en profitant pour multiplier les mises en page inédites. Autour de 1918 Alfred Stieglitz en fera autant de la femme qu'il aime, le peintre Georgia O'Keefe (231 et 232), décomposée en pas moins d'une vingtaine d'images.

Cette conception du détail se fera de plus en plus laconique chez les photographes. En 1922, le visage de Rebecca n'est évoqué, par son mari, Paul Strand (238) que par l'arabesque du cou et du menton ponctuée d'un seul œil. Man Ray et Wols trouvent que des lèvres seules sont suffisamment expressives. Max Burchartz préférera, pour sa part, une portion de visage de fillette (*L'Œil de Lotte*).

La photographie prendrait-elle la suite du moulage ? Non[12], et en cela réside la différence fondamentale entre le détail photographique et les études préparatoires d'antan; le premier n'est jamais coupé de son contexte — sauf bien sûr lorsqu'il s'agit d'un très gros plan (238) mais se présente toujours étroitement imbriqué dans le tissu du réel.

Et c'est là qu'intervient le photographe : au moyen du cadrage, il propose une nouvelle lecture du monde réel — John Szarkowski insiste là-dessus : «the photographer's edge isolates unexpected juxtapositions; by surrounding two facts, it creates a relationship. The edge of the photograph dissects familiar forms, and shows their unfamiliar fragment. The photographer edits the meaning and patterns of the world through an imaginary frame — This frame is the beginning of his picture's geometry...»[13]. Ce nouveau découpage bouscule la hiérarchie entre motifs principaux et motifs secondaires[14].

(12) Rien à voir non plus avec le contenu nostalgique que peut avoir le fragment en sculpture et qui dérive de la redécouverte des antiques souvent mutilés. La prochaine grande exposition du Musée d'Orsay qui s'ouvrira en février 1990 est précisément consacrée au thème du fragment en sculpture.

(13) Szarkowski, 1966, p. 70: «Le cadrage de la photographie attire l'attention, en les isolant, sur des juxtapositions inattendues; en liant deux éléments étrangers l'un à l'autre, il crée une nouvelle relation. Le pourtour de la prise de vue découpe des formes familières et donne ainsi naissance à d'autres formes, étrangères. Le photographe propose une nouvelle lecture du monde, en imaginant de nouvelles césures. Celles-ci définissent l'ordonnancement de l'image...»

(14) De telles considérations ont été largement développées dans les théories allemandes de la perception, contemporaines de l'enseignement plastique du Bauhaus. Mais elles étaient déjà cruciales au tournant du siècle, dans celui d'esthéticiens eux-mêmes influencés par la réflexion sur l'art japonais, tel Arthur Dow à Boston, professeur de Coburn.

(15) J.-F. Chevrier, *Proust et la Photographie*, Paris, Édition de l'Étoile, Gallimard - Le Seuil, 1982.

On peut observer cela littéralement, dans certaines photographies dont la mise en page met en valeur un détail incongru qui se détache du reste par sa forme ou sa tonalité: dans telle perspective, bien réaliste, de *l'Impasse de la bouteille* par Marville (170), nous sommes curieusement retenus par le motif abstrait et obsédant formé par le profil de l'entrée d'une cour. Dans une prise de vue attribuée à Baldus et montrant la façade d'un hôtel parisien, l'effet de surprise est créé par la façon abrupte et quasi surréaliste — on songe à certains tableaux de Magritte — avec laquelle le mur s'interrompt sur la gauche : la maison voisine a été détruite ou tout simplement, elle n'existait pas, et une nouvelle avenue s'ébauche (31).

Parfois la prise de vue nous fait simplement découvrir sous une nouvelle perspective un sujet que l'on croyait connaître. Le photographe emploie alors, sans le savoir, un procédé traditionnel dans la littérature moderne; comme Stendhal dépeignant la guerre de Waterloo à travers l'expérience intime et partielle de Fabrice del Dongo, il nous donne de la réalité la plus officielle ou la plus quotidienne, sa version personnelle, anecdotique en un sens, mais combien plus prenante que la conception abstraite que nous pouvions en avoir. Et lui-même a la révélation dans son viseur, d'une réalité qu'il ne connaissait pas auparavant. «On ne peut prétendre avoir vu une chose tant qu'on ne l'a pas photographiée», confiait Zola en 1900 à un journaliste au moment où il se mettait lui-même à pratiquer avec passion. Mais depuis un certain temps déjà cette vérité avait été prouvée scientifiquement.

A cet égard, Jean-François Chevrier vient de démontrer brillamment[15] l'identité entre le processus photographique, lequel consiste à mettre au jour une «inscription» gravée à notre insu dans notre rétine et la démarche proustienne, clef de *la Recherche du Temps perdu* qui permet au narrateur la redécouverte, à l'occasion d'un choc visuel, d'une image enfouie dans sa mémoire faisant ressurgir tout un pan du passé, d'autant plus chargé d'émotion que celle-ci s'y était inconsciemment imprimée.

Françoise Heilbrun

24
E. Baldus
Théâtre romain d'Arles
1851

169
Ch. Marville
Impasse de l'essai
Paris, vers 1865

72
Costerhuis
Pont de Crève-Cœur en Hollande
1871

8
E. Atget
Port de Bercy, Gare du PLM
vers 1908

237
P. Strand
Vue de l'El
1917

125
Lansiaux
Conscrits partant pour la guerre
1914-1918

179
P.-E. Miot
Pêcherie à Terre-Neuve
vers 1859

134
H. Le Secq
Dieppe
vers 1850

17
E. Atget
Manège de la Foire du Trône
1925

5
E. Atget
Voiture à cheval
1910

31
Attr. à E. Baldus
Façade d'un hôtel parisien
vers 1855

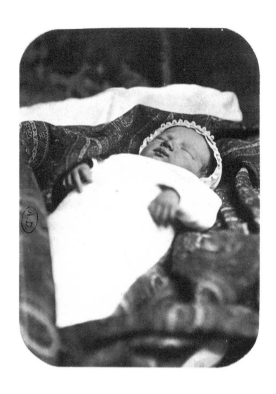

136   144
H. Le Secq   H. Le Secq
Nouveau-né   Le petit soldat
1851-1854   vers 1854

245
A. Tournachon
Marie Roux dite «Musette»
1854-1855

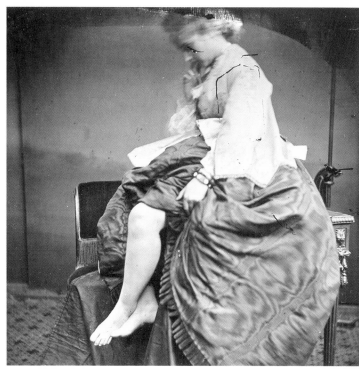

54
J.-M. Cameron
«Lumière et Amour, Freshwater»
1865

177
Mayer et Pierson
La Comtesse de Castiglione assise
vers 1864

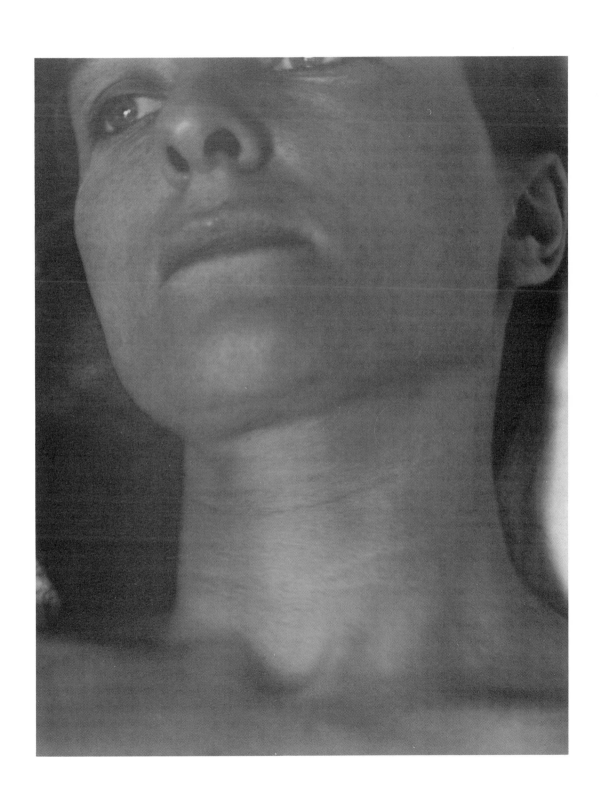

238
P. Strand
Tête de Rebecca, femme de l'artiste
1922

221
H. Rivière
Ouvrier travaillant sur la Tour Eiffel
1889

128
J.-H. Lartigue
«Rouzat dans la piscine, moi»
août 1911

Mouvement et instantanéité

272
Anonyme français
Passagère sur le pont
1907

En 1844, Antoine Gaudin, auteur d'un des premiers traités photographiques se félicite d'avoir pu représenter à Paris les personnes marchant et les chevaux allant au trot; sur l'un de ses daguerréotypes, précise-t-il, on distingue très bien un garde municipal à cheval au milieu du Pont-Neuf. Gaudin se réjouissait à bon droit puisque la photographie, à ses débuts, ne restituait qu'une partie de la réalité visible : les chaussées sans les passants, les ciels sans les nuages, les rivières sans les tourbillons. Mais si Gaudin avait bien réussi à capter l'image d'un gendarme en mouvement, en réalité, il n'avait pas représenté le mouvement.

Il a fallu un demi-siècle de perfectionnements des objectifs et des substances sensibles pour que la photographie acquière l'instantanéité, sans laquelle ni la représentation nette des choses ambulantes ou mises en mouvement ni la traduction en images fixes du mouvement lui-même ne pouvaient être obtenues. En 1837, la technique daguerrienne était au point, mais elle ne permettait même pas de fixer convenablement cette réalité première que tout homme commence à percevoir dès la naissance : le visage d'un être vivant; au lieu d'un portrait, on obtenait un masque mortuaire, une physionomie suppliciée par la durée de la pose, rictus prémonitoire de l'immobilité contre nature à laquelle sera tenue la clientèle des futurs studios. En 1887, la chronophotographie rend visible les positions successives que l'œil humain est incapable de percevoir dans le déroulement rapide d'un mouvement donné.

Sans l'instantané, la photographie, impuissante à satisfaire ce besoin d'exactitude et de célérité qui a empoigné le monde occidental depuis près de deux siècles, n'eut sans doute connu qu'un succès de curiosité. Sa poursuite fut immédiate, obstinée, prioritaire (en concomitance avec les recherches d'inaltérabilité et de multiplicité des épreuves), déterminante pour le passage du médium à la dimension industrielle aux alentours des années 1880. Cette quête procédait d'une volonté d'approprier la photographie à ce rapport différent de l'homme avec le temps qu'elle instaurait, d'assurer par la précision du rendu la plénitude de la fonction descriptive qui la caractérisait et de lui conférer la valeur expressive qui élèverait ses images au-dessus de simples enregistrements et leur donnerait la qualité incomparable de l'œuvre «tantôt vue, tantôt non vue, mais jamais hors de vue».[1]

A l'extérieur du studio, pendant dix lustres, la majorité des photographes choisirent des sujets sans risques — le monument déserté, la forêt engourdie, la scène posée — ou acceptèrent que le ciel au-dessus des paysages se vide et que le trafic dans les vues urbaines se volatilise. D'autres, moins nombreux, amateurs ou praticiens, plus ou moins cultivés, peu ou prou fortunés, médiocrement doués ou comblés de talent, affrontèrent le problème, quelques-uns avec constance, tirant souvent le meilleur parti d'une technique encore approximative et parfois l'améliorant. Leur objectif balaya le théâtre de la réalité mobile sans que les êtres mus par l'élan vital et les objets déplacés par d'invisibles forces, tel le vent, ne disparaissent de l'épreuve ou n'y laissent que de faibles empreintes. Ils veillèrent à ce que les signes fugaces,

1. Paul Valéry, *Monsieur Teste*, Paris : Gallimard, 1946 (réimpr. 1969, p. 46).

révélateurs d'activités cachées, comme l'ondoiement d'une fumée, la turbulence du flot, la courbure d'un rameau agité par un souffle, ne se brouillent ou ne s'évanouissent.

Des formes tremblées, étonnantes pour les contemporains, surgissent parfois dans les épreuves. Ce sont des accidents que les opérateurs considéraient sans doute comme un échec dans cette quête de l'instantané, mais que nous trouvons d'autant plus heureux qu'ils suggèrent admirablement ce que ces photographes ne recherchaient pas, c'est-à-dire le mouvement même à la représentation duquel vont s'employer des artistes et des savants de la génération suivante. Cessant d'être une chimère, l'instantané à son tour engendrera l'illusion du mouvement dans des représentations soit formelles, soit abstraites, toutes satisfaisantes et nouvelles sur le plan esthétique. Ainsi, la photographie parachèvera l'ambition des esprits de la Renaissance : rendre l'homme maître de la nature en lui permettant de voir l'imperceptible et d'étudier scientifiquement l'univers.

Le mirage de l'instantanéité

Les photographes du XIXe siècle aspirent moins à la représentation du mouvement qu'à l'enregistrement précis et complet des formes existantes qu'elles soient inertes ou dynamiques. Donnée technique élémentaire de la prise de vue — le temps de pose ramené à moins de 1/10{e} de seconde —, l'instantané photographique doit permettre de restituer une portion du spectacle du monde dans le temps exact de son déroulement. L'instantanéité réside dans cette simultanéité des deux temps, celui de l'opérateur, celui du sujet visé. Elle concerne les choses en mouvement et les corps vivants aussi bien que les objets inanimés; car ces derniers, même immobiles, cessent d'être d'inertes réalités quand une lumière tantôt douce, tantôt vive, les frôle, les gifle ou les caresse.

S'il n'est pas toujours la composante essentielle de cette vie de la matière qu'on ne peut rendre qu'en la braquant l'espace d'un frisson, le fluide lumineux est en tout cas un facteur décisif du processus d'enregistrement. La durée qu'il révoque au nom de la fugacité du côté du sujet, il l'invoque au nom de la lenteur du procédé du côté du photographe, astreignant ce dernier à prendre son temps quand l'exigence de la simultanéité le lui interdit. L'instantanéité ne cessera d'être un mirage que lorsque la durée d'exposition calculée en minutes, puis en secondes, le sera en décimales. Le cadrage parfois, la vérité des attitudes toujours, la pertinence de l'espace, un sens inné de l'éclairage, une maîtrise technique sans défaut, voilà les moyens dont useront instinctivement ou délibérément les photographes assez inspirés pour esquiver le dilemme fatal : gâter l'épreuve en la sous-exposant ou la gâcher en la privant de toute expressivité.

David O. Hill, le peintre, Robert Adamson, le calotypiste, unis en une dyade féconde et novatrice réalisent précisément entre les données réelles de la perception et la spontanéité créatrice de l'émotion un accord qui gomme la discordance introduite, dans le temps historique de la scène observée, par le temps nécessaire à la retravailler et à l'appréhender. Certes, leurs représentations sont préparées mentalement et matériellement : par leur caractère intemporel, elles se donnent à nous sous des aspects de peinture déjà vue, mais par l'immobilité vive des figures, comme des transcriptions qu'on ne peut classer parmi d'autres (n° 108). La vie y est rendue sous sa forme permanente, qui est celle de la continuité, d'une façon aussi convaincante que dans les vues attachées à la restituer sous sa forme vivante qui est celle de la fugacité. C'est un peu moins et c'est beaucoup mieux que ces instantanés applaudis par les contemporains qui les considéraient, à juste titre, comme des tours de force[2].

Le pouvoir de la lumière de suggérer la momentanéité ne tardera pas à être compris et utilisé jusqu'au raffinement. Les effigies les plus remarquables obtenues dans l'atelier d'A.S. Southworth et de J.J. Hawes, à Boston, entre 1843 et 1862 lui doivent leur extraodinaire présence. Tout vit de même dans le daguerréotype d'Hermann C.E. Biewend : l'étoffe, les chairs, le feuillage; s'attachant aux endroits essentiels, les rayons du soleil tournoient doucement de l'artiste à sa fille et assurent la cohésion des figures avec l'environnement (n° 38).

Henry Le Secq avance sur le chemin de l'instantanéité avec le regard du poète. De sa formation d'artiste rompu au dessin, il ne garde qu'une vive réceptivité au spectacle de la terre et au monde des objets ainsi que l'intelligence du matériau adopté pour en rendre les formes et la vie secrète. Les grands monuments figés dans la poussière des civilisations disparues n'exercent pas sur lui l'attrait qui entraînera de nombreux voyageurs à pratiquer la calotypie; il leur préfère la pierre encore chaude des édifices du Moyen Age ou les maisons vivantes du vieux Paris. La figure humaine l'intéresse assez peu alors que, ni plus ni moins subtils que lui, d'autres adeptes de la calotypie comme Victor Regnault, Hill et Adamson, Victor Hugo, Julien Vallou de Villeneuve y consacrent d'abondantes séquences. Sans doute répugnait-il à traiter longuement un thème auquel l'obligation de la pose ôtait son caractère essentiel : la vie. S'il l'aborde, c'est d'une façon banale, au sein de son entourage ou alors d'une manière encore très inhabituelle à l'époque, par exemple dans les saisissantes images de l'un de ses fils, nouveauné endormi dans un châle (n° 136). Une vue de baigneurs qu'il a prise à Paris, dans un bain public, présente des parties floues (n° 138). Un autre photographe aurait évité le sujet ou aurait obligé les nageurs — du moins s'y serait-il efforcé — à garder l'immobilité. Le Secq a risqué la prise de vue et tenté un geste de reporter. La technique lui a résisté mais l'effet recherché est préservé : nous ne regardons pas un tableau vivant, nous voyons un groupe de gens se délassant ni complètement surpris par le photographe ni subjugué par sa présence. Le flou qui trahit les bougés matérialise le mouvement, il en suggère un équivalent plastique. Il concourt autant que la lumière à l'illusion, non pas d'instantanéité, mais de spontanéité que nous procure cette épreuve.

Avec le négatif sur verre et ses liants, albumine ou collodion, les photographes vont disposer d'un outil un peu plus rapide. En revanche, les artistes qui auparavant ont su explorer les possibilités esthétiques du médium s'effacent devant des praticiens davantage préoccupés de se prouver à eux-mêmes et de démontrer à la société que la chambre noire est cet œil universel «qui élargit à l'infini les bornes de l'univers visible»[3]. L'intériorisation de la réalité pour en délivrer des images personnalisées cède le pas à une objectivation des sites et des scènes. Découvrir la vie dans son actualité en transcrivant l'éphémère lancine de nombreux opérateurs. De ce problème de l'instantané, quelques photographes feront leur affaire comme les Macaire, au Havre, célèbres par leurs vues de navires : des vapeurs sortant du port, pavillons flottant au vent, cheminées crachant une épaisse fumée.

Les producteurs d'épreuves stéréoscopiques, du moins ceux qui s'intéressent à la vie urbaine, parviennent à d'excellents résultats parce qu'il s'agit d'affrioler la clientèle. Le public, médusé par l'effet de relief, contemple des scènes familières que ni la peinture ni la gravure de cette époque n'avaient encore représentées de cette façon vivante et réaliste. Servie par quelques astuces, l'assimilation parfaite de la technique permet d'enregistrer avec une netteté satisfaisante l'animation des boulevards, la badauderie des citadins, le grouillement des réjouissances populaires (n° 120). Observant qu'un mouvement effectué sur place peut s'imprimer sur la plaque, les photographes adoptent une ligne de visée qui transforme les déplacements latéraux en trajectoires longitudinales : les axes de la circulation sont pris en enfilade.

Afin que l'illusion de l'instantanéité soit complète, le photographe doit cesser d'intervenir directement dans les scènes qui se prêtent à des arrangements ou se montrer assez habile pour faire croire qu'il n'a procédé à aucun aménagement. Échappent aux charmes émollients de l'esthétique, qui a maintenu tant d'entre eux dans la mouvance de la peinture, les opérateurs qui s'abandonnent sans réserve à une sorte d'automatisme psychique et préservent ainsi la spontanéité de leur vision pour en délivrer intacte l'émotion lors du déclic fatal; les opérations intermédiaires nécessaires restent strictement techniques. C'est probablement dans cette disposition d'esprit surréaliste, alors tout à fait exceptionnelle, que Charles Nègre a réussi plus d'une fois des épreuves qui renouvelaient entièrement le thème des petits métiers abondamment traité par la gravure. Ses terrassiers au repos sont un exemple de cette manière neuve de sentir la vie (n° 193) : de l'attention à l'indifférence feinte ou réelle, les attitudes discordantes des quatre hommes en présence de l'appareil clament l'immédiateté de l'épisode bien qu'il ne puisse s'agir d'un instantané véritable.

L'absence de convergence des regards vers l'objectif renforce dans les scènes prises sur le vif le sentiment de l'instantanéité. Par consé-

2. Cf. la vue prise en mai 1850 par Edmond Bacot «Au bord de la mer», reproduite dans *E. Bacot, A. de Brébisson, A. Humbert de Molard*, Caen : ARDI, 1989, p. 21.

3. Louis Hourticq, «Centenaire de la photographie à la Sorbonne», *Institut de France. Publications diverses de l'année*, Paris : Firmin-Didot, 1939, p. 37.

quent, le mirage sera d'autant plus parfait que le photographe restera inaperçu des sujets qui animent la vue ou qu'il saura s'en faire oublier. L'encombrement de la chambre noire qu'on doit alors toujours installer sur un pied, en un endroit repéré à l'avance, ne facilite pas cette clandestinité. Si loin que les opérateurs poussent la rapidité d'exécution, la prise de vue reste essentiellement un acte prémédité.

Grâce à Timothy O'Sullivan, le conseil de guerre tenu par les généraux Grant et Meade à Massaponax ne perdra jamais ce caractère de brûlante actualité que lui confère la vue prise le 21 mai 1864 (n° 194). Les héros sont de dos, penchés sur une carte, des officiers les observent, d'autres plus nombreux s'absorbent dans leurs pensées ou se délassent; au fond, des soldats s'affairent parmi les équipages, ignorants de la prise de vue, ignorés du photographe; de rares visages, notamment celui d'un fumeur de pipe, regardent du côté de l'objectif qu'ils ont peut-être aperçu. On note de plaisantes anomalies : l'absorption d'une tête par un dossier de banc, le bougé d'un journal, les formes tremblées des chevaux, des silhouettes aux contours dédoublés. Ces défaillances révèlent les limites du procédé au collodion mais n'altèrent en rien l'intérêt et la vérité de cette scène.

Qu'une technique véritablement instantanée apparaisse et des photographes — de telles images les annoncent — développeront d'une manière inouïe ce genre iconographique nouveau que le XXᵉ siècle désignera sous le terme de reportage.

L'illusion du mouvement

Le corps «est ici et il est là, magiquement, mais il ne *va* pas d'ici à là»[4] et vice versa. Ce sont les deux types d'illusion du mouvement que la photographie va introduire dans l'iconographie à la fin du XIXᵉ siècle. Les photographes disposent enfin de plaques au gélatino-bromure très rapides, vendues prêtes pour l'emploi et d'appareils plus légers ou portatifs. Enregistrer le monde en mouvement devient une chose praticable.

Mais le mouvement est une réalité immatérielle qui le fait échapper à tout essai de représentation; l'image fixe ne peut que le stopper ou le rendre par des équivalents. Amateurs opérant au sein de leur famille ou chroniqueurs parcourant la terre, des photographes n'arrêtent le mouvement que pour l'abolir. Aussi le sentiment du temps suspendu se retrouve dans d'authentiques instantanés pris par des auteurs qui n'observent le tissu mouvant de l'actualité que pour en extraire de pittoresques tableaux ou d'irrécusables constats (228).

Le mouvement ne surgit point dans les épreuves en raison d'un pouvoir de l'instantané à le retenir automatiquement, mais par suite de la vision nouvelle que l'opérateur en a : il est le principe de la vie. Le photographe n'est plus obsédé par la mise en image d'éléments en mouvement : il a l'intuition d'éléments dans le mouvement et, sponta-nément, il les prend enveloppés dans leur mobilité. La représentation que Pierre Bonnard donne d'un chien marchant sous le regard amusé de quelques bambins nous livre les sujets de la scène avec leur kines-thésie propre (nᵒ 48). Saisi par J.-H. Lartigue, un chat qui saute est pour nous un chat qui suit une trajectoire spatio-temporelle (nᵒ 129), alors que photographié par d'autres, ce n'est plus qu'un chat localisé en l'air. Œuvre d'un peintre-photographe rompu aux subtilités de la lumière dans l'un et l'autre art, les épreuves de Bonnard, les unes, rêveries délicates, les autres, parties enjouées, sont irradiées de vitalité. Sans doute la baignade des enfants au Grand-Lemps (nᵒ 50) étonne-t-elle peu dans l'extraordinaire ensemble d'instantanés que le XXᵉ siècle met sous nos yeux; il faut cependant se ressouvenir qu'en 1903 de pareils essais étaient d'une rare nouveauté puisque la plupart des photographes produisaient encore des images figées, composées ou sophistiquées.

L'allègement du dispositif rend les photographes plus attentifs à la variabilité de la lumière et au choix juste du moment. La plus grande maniabilité de l'appareil stimule leur inventivité quant à l'ordonnance des mises en page. Des audaces de cadrage et d'angles de vue bous-culent les perspectives habituelles, tronquent les formes, imposent des rythmes qui propulsent les figures d'un bord à l'autre du cliché (254), les précipitent hors de l'épreuve (218) ou les projettent dans le champ de l'image (215). Ces artifices qui concourent aux effets de mouvement apparaissent dans la peinture vers 1880, et même avant chez Edgar Degas, mais la contemporanéité des progrès de l'instantané rend déli-cate la délimitation des influences respectives.

Au temps des procédés non instantanés, le flou est le sympôme d'un dysfonctionnement de la scénographie, la preuve d'une transgression : le sujet a bougé; ou bien la marque d'une déambulation fortuite dans la zone battue par l'objectif qui ne veut rien savoir de cette présence. Cependant son aptitude à traduire le mouvement d'une manière signi-ficative se révèle dans quelques épreuves. La forme estompée d'un navire (nᵒ 70) ou du flot fendu par une étrave (nᵒ 181) est l'expression même du mouvement : elle nous donne l'impression simultanée d'un déroulement dans le temps et d'une translation dans l'espace; elle évoque aussi l'idée de vitesse. Le flou n'est plus l'imperfection qui dénonce l'agitation accidentelle d'un corps pendant la pose, c'est la traduction visuelle d'un corps qui se déplace réellement.

Cet équivalent plastique du mouvement apparaît constamment dans la photographie instantanée et se métamorphose en un symbole dont les dessinateurs s'inspireront en le copiant ou en le schématisant. La curiosité de ce qui bouge sourd avec humour et gentillesse chez J.-H. Lartigue. Quoi de moins abouti pour cette invention complète dont Paul Delaroche vantait le fini d'un «précieux inimaginable»[5] et, cepen-dant, quoi de plus cinétique, partant d'authentique dans son inachève-ment même que la silhouette déformée de la «Bouboutte en train de sauter» (nᵒ 127) dans le vide !

4. Maurice Merleau-Ponty, *L'Œil et l'esprit*, Paris : Gallimard, 1964 (réimp. 1985, p. 78).

5. Propos rapportés par François Arago, «Chambre des députés, deuxième session 1839. Rapport [...] par M. Arago», *Historique et description des procédés du daguerréotype et du diorama, par Daguerre*, Paris, 1839, p. 20.

L'enregistrement instantané d'une réalité que l'œil seul distingue mal ou ne voit pas du tout donne des formes iconographiques inédites qui orienteront bientôt certains photographes vers d'autres expériences et qui retiendront l'attention des peintres. Happé ou guetté par l'objectif, le mouvement peut transmuer les formes sur l'épreuve, les dépouiller de leurs qualités sensibles et en faire des tourbillons d'énergie qui emportent le spectateur à l'intérieur de la scène. Dans la photographie de J.A. Riis (n° 215), l'espace resserré, la lumière brutale, le bloc instable formé par les enfants et, surtout, l'élan insensé de la mère, déclenchent en nous une succession d'impressions pénétrantes et rapides qui nous font partager l'angoisse éprouvée, semble-t-il, par les personnages. On constate que l'instant, saisi désormais avec une rapidité fulgurante, ne délivre pas seulement sur la plaque le mouvement mais aussi tout ce qu'il recèle d'émotion et de sensations débordant largement le domaine visuel... L'excitation de la passagère photographiée sur le pont (n° 272) nous gagne, nous entendons son cri ou son appel dans le vent. Ainsi la photographie fuse au-delà de la sphère des représentations du monde objectif, familier ou étendu jusqu'aux régions de l'infiniment petit et de l'infiniment grand et rejoint d'autres moyens d'expression dans leur effort pour faire connaître à chacun «ce petit monde» que l'homme porte en lui»[6].

Des photographes de ce XIXe siècle finissant, passionnés par la transcription de la vie dans sa fugacité, ont donc une vision synthétique du mouvement : le corps va d'ici à là. C'est parfois d'une façon bien différente des arts du dessin qu'ils la rendent, obtenant des résultats originaux par le maniement hardi de l'appareil et par l'apparition d'effets de flou. Cherchant à donner de la vie une explication plus exacte, au même moment, d'autres photographes ont une vision analytique du mouvement : le corps est ici et il est là. Ils la fixent d'une manière plus correcte que le dessin, atteignant leur but par une adaptation ingénieuse des appareils et par une décomposition des gestes pouvant aller jusqu'au géométrisme. Ils proposent quelquefois des représentations surprenantes qui viennent enrichir la liste des créations esthétiques.

Pour que l'enregistrement photographique fournisse la trace et la preuve de cette réalité du mouvement qui se dérobe à l'œil nu, Eadweard Muybridge, Albert Londe, tenants de la multiplicité des objectifs, Étienne-Jules Marey, Thomas Eakins, adeptes de l'unicité de prise de vue, vont morceler le temps en brèves fractions visuelles. Muybridge et Marey, les deux initiateurs, s'engagent dans des voies nouvelles, mais c'est Marey, le savant, qui met au point la méthode véritablement originale désignée sous le terme de chronophotographie.

En effet, la division par Muybridge de la réalité photographiable (un homme sautant, par exemple) en 8, 12 ou 24 points de vue (n° 184) dont le rapprochement au tirage donnera une représentation de la réalité non photographiable (le saut lui-même) procède d'une logique qui rappelle la technique plus ancienne de la carte mosaïque largement pratiquée dès le second Empire. Cette variété de photomontage qui

6. Eugène Delacroix, *Journal*, 11 septembre 1855.

enchaîne l'accumulation de prises de vue, le découpage, la recomposition, aboutit à un synopsis qui montre davantage et signifie autrement que ne le font ses éléments constitutifs pris séparément (un entrelacs de jambes de danseuses devient chez A.A.E. Disdéri le corps de ballet de l'Opéra en 1863). Transformé par Muybridge dans un but plus sérieux et totalement différent, le processus porte tout de même l'empreinte d'une époque qui avait exclu la temporalité de ses représentations : ici le mouvement, c'est d'abord la translation d'un corps dans l'espace.

A l'opposé, Marey s'attache à capter le déplacement du corps dans le temps. Pour cet «ingénieur de la vie», comme il se qualifie lui-même, il n'y a de réalité scientifique que mesurable. A partir de 1882, la photographie lui apparaît comme le moyen le plus assuré d'obtenir des graphiques analysant fidèlement la relation espace/temps qui constitue par essence le mouvement. En un éclair il enregistre sur une seule épreuve les états successifs d'un corps en mouvement à des intervalles de temps exactement mesurés. Les premières représentations pouvaient ne pas dérouter un esprit non averti, fut-ce au prix d'une erreur d'interprétation : le vol d'un goéland serait vu comme un vol de goélands; les phases de la marche d'un homme, comme un défilé de mannequins. En revanche, les schèmes géométriques, auxquels le souci d'un déchiffrement aisé va conduire Marey (159) s'avèreront d'une nouveauté iconographique absolue. A peine le corps en mouvement s'est-il montré dans des images qui en étalent la réplique multiple (157), comme si le sujet touché par la lumière avait reçu le pouvoir de procréer devant l'objectif une légion de clones, qu'il se désincarne et se dissout (160) à l'imitation de ces figures que la moindre agitation avant l'avènement du gélatino-bromure, condamnait à la sublimation. Appartenant au monde des réalités non apparentes, mais pris dans les mailles d'une translation décomposée par le sortilège d'une technique ultra-rapide, le mouvement se dérobe à une transposition formelle. Il se joue des simulacres du corps qu'il anime, les altère monstrueusement, les enchevêtre avec frénésie, en dissout la chair (161) et n'en laisse enfin qu'un réseau de points flottants et de lignes sinueuses (158).

Les séquences réalisées par Muybridge dès avant 1880 et par Londe à partir de cette date ne rompent pas avec les canons de la représentation en usage depuis la Renaissance : le sujet s'y affirme distinctement en des instantanés dont la juxtaposition raconte l'histoire d'un corps gesticulant ou se mouvant en un endroit et à un moment déterminés. Ni l'espace, ni le temps, ni le sujet ne se trouvent véritablement distordus, abolis ou confondus. Ce que des peintres primitifs tentaient parfois lorsqu'ils figuraient dans le même tableau divers épisodes de l'existence d'un saint se trouve appliqué ici sous forme de synopsis retraçant les péripéties infinitésimales d'une très brève portion de la vie d'un corps. Ces photographes dressent un répertoire des gestes dans lequel les peintres soucieux de la vérité de la pose et conscients des inexactitudes du dessin — par exemple, le cheval au galop, jambes allongées en avant et en arrière — puiseront superficiellement.

53
A. Bragaglia
Le Violoncelliste
1913

En revanche, la chronophotographie, instrument sciemment conçu par Marey pour ses recherches sur le mouvement, engendre, sans qu'il l'ait voulu, une iconographie qui remet en cause l'unicité du temps et la mise en perspective des formes. Au corps plein en mouvement, elle substitue souvent la trace laissée par le mouvement, enfantant une esthétique de la tache ou de l'épure. Pour peu que l'œuvre soit regardée par les artistes, elle les conduira au rejet des valeurs figuratives.

Cependant ces vues d'une grande étrangeté n'auront un premier impact qu'autour de 1910 dans le groupe de Puteaux et chez les futuristes. La comparaison du «Violoncelliste» (n° 53) d'Anton Giulio Bragaglia, qui se lance vers 1911 dans le photodynamisme, avec l'essai de Marey (Demeny jouant du violon» (vers 1888) établit l'importance du changement intervenu dans la vision artistique. La chronophotographie survenait en marge d'un système qui s'efforçait encore de transcrire la réalité extérieure : elle représentait le corps en mouvement bien que son acharnement «au contrôle du certain par l'irrécusable»[7] lui en fasse donner des images de plus en plus insolites. Le photodynamisme se développe au sein de courants qui emmènent la peinture vers l'abstraction : il entre dans le mouvement lui-même pour en représenter l'élan intérieur, pour en exprimer visuellement l'énergie.

Par son obstination à vouloir enregistrer la vie dans la multiplicité de ses facettes et de ses activités, la photographie en images fixes est parvenue en 1890 à l'extrême limite de ses possibilités cinétiques : maîtrisant le mouvement en des représentations soit statiques, soit dynamiques, elle réussit à l'évoquer, elle ne peut le restituer. S'emparant du capital technique accumulé par les champions de l'instantané et de la chronophotographie, le cinématographe accomplit au crépuscule du XIXe siècle ce rêve ancien de l'homme : la reproduction du mouvement par l'image.

Bernard Marbot

7. Félix Nadar, *Quand j'étais photographe*, Paris : Flammarion, 1900 (réimp. Paris : A. Hubschmid, 1979, p. 1224).

38
H.-L.-E. Biewend
«Moi-même avec la petite Louise à Hambourg»
1855

108
D.-O. Hill et R. Adamson
Maçons travaillant sur un griffon sculpté
pour le monument à Walter Scott à Edimbourg
1843

138
H. Le Secq
Paris, bain public, leçon de natation
1852-53

193
Ch. Nègre
Terrassiers
1853

194
T. O'Sullivan
Conseil de guerre à Massaponax, Virginie
1864

228
E. Serve-Louvat
Les forts des Halles
vers 1908

218
H. Rivière
Couple marchant à Paris
vers 1885-1895

48
P. Bonnard
Chien marchant au Grand-Lemps
vers 1899

50
P. Bonnard
Baignade au Grand-Lemps
vers 1903

127
J.-H. Lartigue
Rouzat, Bouboutte en train de sauter un mur
août 1908

129
J.-H. Lartigue
Chat sautant
décembre 1912

215
J.-A. Riis
Minding the baby
vers 1889

70
E. Colliau
Le Saint-Jacques en mer
1861

181
P.-E. Miot
L'Astrée en mer
vers 1869

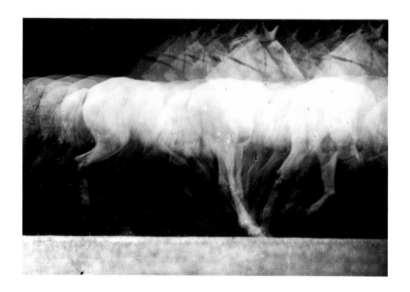

184
E. Muybridge
Athlète, saut périlleux en retournant
vers 1881

157
J. Marey
Saut en longueur
vers 1887

160
J. Marey
Le cheval au trot
vers 1886

159
J. Marey
Flexion ou saut sur pieds joints
vers 1884

161
J. Marey
Vol du goéland
1882-86

158
J. Marey
Course sur plan incliné
1886

6

Le motif valorisé

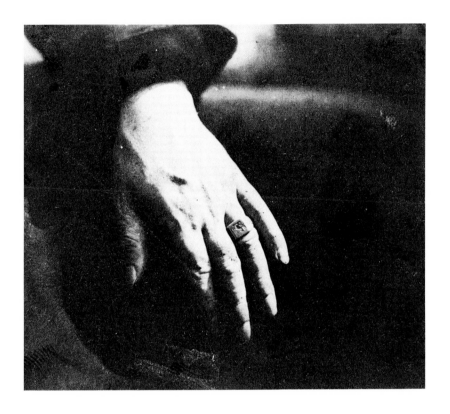

249
A. Vacquerie
La main de Victor Hugo
vers 1853

En regardant les photographies de son *Balzac* réalisées en 1908 par Edward J. Steichen, Auguste Rodin déclarait qu'elles feraient comprendre son œuvre au monde entier. Le motif de ces épreuves incarne en une fusion fulgurante les génies confondus du romancier, du sculpteur et du photographe. Le talent de Steichen confère à ce menhir une valeur esthétique supplémentaire qui doit effectivement rendre le public sensible à la puissance d'inspiration de l'artiste capable de transformer en un monolithe formidable une personnalité prodigieuse. L'invention de Niépce et de Talbot s'y révèle une fois de plus dans sa faculté de transcrire exactement les formes du réel, ici une statue; elle y dévoile également son pouvoir de retourner la réalité sur elle-même et d'en remplacer l'objet par des entités iconographiques qu'elle enfonce parfois comme des bornes autour des jardins de la poésie ou des glaciers de l'abstraction.

Dans les arts du dessin, le motif est le sujet traité quel qu'il soit — bataille, portrait, paysage, nature morte — car son choix implique déjà un processus créatif. Chez les photographes, le motif est plutôt la parcelle valorisée d'un univers morcelable à l'infini. Ces représentations abondent parmi les images du monde contemporain qu'ils se donneront comme mission ou comme fonction de proposer à leurs semblables dès 1839. D'ailleurs les zélateurs de la photographie exaltent volontiers son aptitude à isoler le détail des choses d'une manière fidèle et lisible. François Arago évoque l'éventualité d'une copie de millions d'hiéroglyphes[1]. Ernest Lacan s'extasie sur les plaques argentées qui reproduisent les admirables débris épars dans l'enceinte de l'Acropole[2]. En 1853, l'Académie des inscriptions et des belles-lettres recommande à Auguste Salzmann qui se dispose à partir pour l'Orient de s'attacher «aux points de vue rapprochés et aux détails [...] que la photographie seule peut rendre»[3]. Par conséquent des photographes vont se lancer dans de vastes quêtes à travers la planète ou s'enfoncer dans les régions mystérieuses de l'univers jusqu'alors inaccessibles aux sens en se livrant à une segmentation de la réalité proche de la dissection : sous leur objectif utilisé comme un scalpel, le tout est dans le fragment.

Les ressources techniques particulières de la photographie la disposent singulièrement à servir une vision analytique et sélective de la nature dont les signes apparaissent dans les arts du dessin bien avant 1839. On relève dans la peinture les rudiments d'une syntaxe latérale, en particulier dans la veine paysagiste, dans des études spontanées bien éloignées des compositions destinées aux Salons, enfin chez les peintres de pays périphériques qui adaptent dans un langage personnel les leçons des grandes écoles de peinture. Autour du Danois Christoffer Wilhelm Eckersberg ou de l'Allemand Caspar David Friedrich, on trouve de ces artistes dont l'œuvre est parsemé de motifs inattendus, de découpages très resserrés.

Le cadrage qui circonscrit, le plan qui rapproche, l'angle de visée qui souligne les proportions, l'éclairage qui fouille, modèle et personnalise la forme, ce sont les formules que les initiateurs comme W.H.F.

(1) *Historique et description des procédés du daguerréotype et du diorama par Daguerrre*, Paris, 1839, p. 20.

(2) Ernest Lacan, *Esquisses photographiques*, Paris, 1856, p. 19.

(3) Françoise Heilbrun, «Auguste Salzmann, photographe malgré lui», *F. de Saulcy et la Terre Sainte*, Paris : Réunion des musées nationaux, 1982, p. 118.

Talbot ou Hippolyte Bayard ont éprouvées dans l'intimité de leurs ateliers ou dans le clos de leurs jardins quand ils s'exerçaient à l'acte d'enregistrement sur de la matière inerte (moulages, figurines, accessoires de la vie familière). En comparant leurs essais avec le reflet dans une glace des objets photographiés, ils s'aperçoivent que les dessins obtenus peuvent recéler quelque chose qui échappe à l'image réfléchie par le miroir : une expressivité propre à l'œuvre d'art les élevant fort au-dessus de la copie alors que le reflet n'est qu'une restitution mathématiquement exacte de l'original.

Ainsi, par le motif, la photographie prouve qu'elle parvient à s'inventer elle-même quoiqu'elle reste couramment au XIXᵉ siècle dans le cadre strict d'une mission documentaire. En raclant les fonds du réel, le chalut largement déployé d'un utilitarisme sans ambiguïté récolte le frai d'une esthétique régénératrice qui déjouera au XXᵉ siècle la norme picturale dans laquelle la majorité des photographes s'étaient auparavant enlisés.

Le motif exalté

La représentation d'un motif détaché de son support naturel, séparé de son contexte familier, pris dans un plan qui rompt le continuum historique s'apparente au portrait. Le photographe reproduit la feuille, la main et la grume, la porte, la stèle et l'escalier avec l'application ou la ferveur qu'il met à fixer les traits d'un être humain. D'ailleurs le motif peut être un visage, mais un visage qui a la permanence de l'antique (57) et non la précarité de ce qui a été.

Le fragment acquiert dans ces épreuves la valeur d'un tout. Nous en détaillons la forme pour elle-même sans nous laisser distraire tout de suite par le savoir dont nous pourrions la lester. Nous ne nous hâtons pas d'étiqueter la plante d'où Charles Aubry retrancha la feuille qui nous fascine (23). Peu importe la nature exacte de l'avant-bras drapé par Adolphe Bilordeaux (39) ! L'objet peut se passer d'un pedigree, d'une identité particulière, d'une fiche signalétique car il n'est que corporéité transfigurée par la lumière, texture transcendant sa matière. Le plâtre et l'étoffe réunis par Bilordeaux n'abdiquent-ils pas leur consistance dans la métamorphose argentique, hésitant entre le marbre, la chair et la fibre ?

Le motif est devenu une œuvre photographique. Il est là au centre de lui-même. Il s'imprègne plus ou moins des qualités sensibles de l'objet; il en occulte toujours l'historicité. La relation causale qui va de l'image au modèle s'annihile. L'hélicoptère de Ponton d'Amécourt qui a obnubilé Nadar (186), le crâne de castor qui a titillé la curiosité de Philippe Potteau (199) dénouent leurs attaches documentaires et rejoignent, fétiche pour l'un, mobile pour l'autre, le vaste univers des formes conceptuelles. L'objet tend à se déréaliser, le motif flirte avec l'abstraction. Il se campe fortement dans l'épreuve (23) ou s'y répand d'une façon diffuse (142). Le fond est nu ou paré avec discrétion, le décor absent ou anodin. Les arbres qui ponctuent un vague horizon derrière le mamelon qui s'éboule ne transforment pas ce coin de terre élu par Henry Le Secq en paysage (139). L'anecdote, là où elle existait, est effacée; l'objet qu'elle concernait directement reste muet. Les jambes photographiées par Albert Londe (149), par Mayer et Pierson (177) n'appartiennent pas à l'univers du motif exalté parce qu'elles racontent encore leur histoire, les unes avec pathétisme, les autres avec impudence.

Notre sensibilité moderne nous inclinerait à croire que les auteurs d'images aussi sobres étaient inspirés par un sentiment esthétique nouveau. Il n'en est rien sauf, peut-être, de la part d'un Le Secq, encore que sa formation d'artiste et son goût romantique l'aient souvent orienté dans le choix de ses sujets et dans la manière de les traiter. Cependant son regard scande la réalité, cherchant dans la lumière le rythme le plus approprié au morceau choisi tandis que son tempérament découvre dans le calotype un médium apte à rendre les modulations de cette lumière. Ses versifications de la nature, en particulier les études de terrain ou d'arbre, morceaux sans structure, devancent les recherches impressionnistes.

Sinon, c'est à une foi inébranlable dans la valeur documentaire et scientifique de la production photographique que l'on doit ces images étonnantes qui échappent à l'ennui de plates transcriptions ou à la séduction artificielle de pastiches inspirés par la gravure et la peinture. Auguste Salzmann désire étayer par une iconographie irréfutable les faits avancés par Louis F.J. Caignart de Saulcy dont les théories se trouvaient vivement contestées par ses confrères de l'Institut. L'inventivité qu'il déploie à Jérusalem découle pour une grande part de la volonté de bien adapter la chambre noire à la fonction descriptive ou démonstrative assignée aux épreuves. Dans la vue de l'escalier menant à la Porte du Fumier (226), il a serré très fortement le cadrage avec un effet de plan moyen qui fait saillir exagérément des pans de muraille; la configuration des lieux ne lui permettait pas d'aborder autrement le motif que la crédibilité de son enquête lui commandait de prendre dans sa totalité.

Les projets de réforme de l'enseignement du dessin dans les arts appliqués qui agitaient les milieux officiels en France dans les années 1850 laissaient espérer que la photographie remplacerait ou, pour le moins, complèterait les cahiers de modèles gravés. Il n'en fut rien mais entre-temps Aubry avait réalisé quelques dizaines de planches de fleurs, feuilles ou fruits avec l'espoir de bien gagner sa vie en les diffusant dans toutes les écoles du pays. C'est plus l'éclairage que le cadrage qui le préoccupe : il en utilise le rayonnement autant comme élément créatif du morceau à reproduire que comme instrument d'éclairement. Choisissant de grands formats qui rapprochent de l'échelle 1 la reproduction du motif, il concentre la lumière dans le plan défini par l'objet; il s'en sert en de longues poses comme d'un burin afin d'accuser la forme déliée de ces ornements végétaux, les fronces et le lacis de leur tissu délicat (23).

Cette manière insolite de décliner le motif procède d'une compréhension mêlée d'instinct et d'entendement des ressources propres à la photographie et rapproche des tempéraments aux antécédents culturels dissemblables — Salzmann, par exemple, est un peintre instruit, Aubry, un modeste dessinateur industriel. A ceux qui dans le cadre d'une entreprise définie, enquête archéologique ou scientifique, application industrielle ou pédagogique, morcellent la réalité, la chambre noire offre immédiatement la possibilité de tenir fortement par le cadrage, le plan rapproché et la lumière, la parcelle sentie et perçue comme significative du dessin poursuivi.

A force d'être recherché dans un but précis, le motif frappera l'œil en dehors de toute intention didactique; il donnera au regard le prétexte à des prises de vue où la photographie pure s'affirmera carrément. Les marches de Salzmann mènent à l'escalier de Frederick Henry Evans, pris à Wells en 1903. Ce nouvel élargissement de la vision concernera tous les arts. La célébration des objets par les peintres ne se fait plus seulement dans des compositions qui les rassemblent à cet effet (natures mortes) ou dans des sujets plus vastes qui les valorisent isolément; l'article le plus commun peut être élu et magnifié seul par la touche et par la couleur, tels les nombreux souliers ou sabots peints par Vincent Van Gogh.

Le motif fragmenté

En exaltant le motif, la photographie force le regard à s'y arrêter : tout élément retiré du panorama déroulé par la réalité devient lui-même un monde à visiter, scrutable et détaillable à merci.

Qu'ils le tirent du néant, auquel l'avait condamné la débilité de notre organe visuel, en se couplant avec le microscope, ou qu'ils en isolent un lambeau par la technique du cadrage serré et du plan très rapproché, les objectifs du XIXe siècle taillent dans le motif des représentations qui donnent à voir quelque chose de nouveau. L'image offre non plus la partie retranchée du tout, mais de cette partie un fragment qui ne s'impose formellement qu'en fonctionnant sur le mode de la synecdoque : ce tronc photographié par Eugène Cuvelier, c'est un arbre (73); ce segment corallaire par Philippe Potteau, un animalcule (201); cette jambe par Albert Londe, une infirme (149). En proie à un narcissisme débridé, la comtesse de Castiglione se fait photographier par Mayer et Pierson dans les attitudes qu'elle choisit elle-même, allant jusqu'à ne montrer que la partie la moins belle de son anatomie, ses pieds (178) et ses jambes : le motif existe à peine en tant qu'image et retourne à la comtesse, à ses portraits de courtisane triste et désabusée.

La figure jetée sur l'épreuve a beau nous mettre en état de choc tant est courte la distance de la forme au regard, tactile sa matière, suggestive son linéament, elle affirme d'abord la brisure. L'œil glisse sur cette arête et l'esprit remplit la marge. La représentation renvoie au tout et si les données viennent à manquer, l'imagination se laisse aller à une reconstitution erronée ou glisse vers des schémas allégoriques ou abstraits à moins qu'elle ne nie la segmentation et ne substitue au motif tronqué un motif entier. Sans une légende, la main de Victor Hugo n'est pas perçue tout simplement comme une main (249), mais comme la main d'un inconnu ou comme une étude destinée aux artistes — le photographe Igout qui mit le corps en pièces et en planches exécuta vers 1880 de nombreuses variations sur ce thème. Il est rassurant de savoir que la main photographiée par Stieglitz est celle de Georgia O'Keeffe (231) et que la trouvant belle, il lui a consacré plusieurs clichés (232); sinon, inquiétante, peut-être à cause de l'étirement léger de la forme sur cette étoffe sombre et sobre comme un habit de deuil, elle devient la main d'un inconnu exsangue ou maléfique.

Cette impuissance du regard et de l'esprit à abstraire le fragment du motif dont il provient, à l'ériger en forme autonome, à rester dans l'image, concorde avec les intentions des photographes du XIX⁰ siècle. Le détachement par ceux-là d'une portion du motif n'est que le corollaire d'une transcription utilitaire embrassant le réel dans son entier. L'agrandissement est encore une méthode hasardeuse, peu employée jusqu'à la fin des années 1890. Aussi le détail doit-il être saisi à la prise de vue dans un format suffisant et mis en valeur par une combinaison de formules qui constituent au début d'heureuses innovations et qui deviendront habituelles. Edouard Durandelle les conjugue toutes — plan, cadrage, angle, éclairage — dans cette demie colonne, illustration marquante d'un album dédié à la construction de l'Opéra de Paris (85) et au génie de l'architecte Charles Garnier. Peintre flânant dans la forêt de Fontainebleau avec une chambre noire, Cuvelier a vu dans le plan d'un chêne (73) un sujet d'étude intéressant, tant pour lui que pour les paysagistes, ses camarades de Barbizon. Comme photographe, il a sans doute été moins fasciné par l'écorce que nous ne le sommes par l'image qu'il en a laissée.

En inventant ce type de morcellement du réel, la photographie ancienne ne s'applique pas à être elle-même, du moins elle n'y prétend pas. Elle ne s'illustre pas, elle illustre chaque branche de la connaissance, chaque secteur de l'activité humaine d'une façon spectaculaire et parfois provocante. Quand Londe braque l'objectif sur les jambes d'hystériques (149), il se livre à des observations cliniques. En revanche l'étude de Stieglitz (233), forme insolente baignant en contrejour dans une lumière crue, est l'enseigne d'un art qui a conquis son autonomie esthétique.

Illustration, note de travail ou synthèse, le ressort de ces représentations est la surprise. Elles découvrent des aspects de la réalité sous un jour inconnu ou déroutant, en particulier dans les représentations qui combinent le motif fragmenté avec le motif exalté. Adrien Tournachon se photographiant le chef coiffé d'un superbe chapeau de paille en a donné un exemple sublime (244). Ici l'image acquiert immédiatement une existence plastique qui la rend indépendante de son auteur et de son sujet. Elle est l'œuvre d'art que le vicomte Henri Delaborde n'imaginait pas puisqu'il accusait la photographie de ne savoir «produire, au lieu d'une image du vrai, que l'effigie brute de la réalité»[4].

Le motif héroïsé

Le motif exalté saille dans un espace sans profondeur ni décor ou l'engloutit. Le motif héroïsé commande à l'espace dans lequel il s'expose; il donne l'impression de pouvoir s'en extirper et se produire sur d'autres scènes sans jamais cesser d'apparaître comme un organisme autonome et nécessaire. Le dispositif photographique lui accorde la place principale bien qu'il n'omette pas de retenir l'environnement (plan d'ensemble) ou au moins une amorce d'environnement (plan de demi-ensemble). Toutefois ce décor naturel a seulement une mission didactique : il signale l'origine, l'aire d'évolution, la fonction du motif.

Le motif exalté n'existe pas comme tel dans la nature; il doit son statut au photographe qui joue à son endroit le rôle d'un imprésario. Cette feuille d'Aubry (23) ou cette motte de terre de Le Secq (139), quelle chance avait-elle d'être remarquée parmi d'autres feuilles de berce ou d'autres mottes si l'auteur ne l'avait d'abord élue, puis consacrée avant de l'isoler, voire de l'apprêter, pour la prise de vue ? Dans le cas du motif héroïsé, commande ou détermination personnelle, le photographe s'empare de réalités évidentes que l'iconographie n'avait pas encore saisies (formes industrielles) ou qui se dérobaient fréquemment à une représentation exacte (formes animales). Il ne crée pas le motif, il l'enregistre. Il puise des formes inédites et significatives dans le champ des représentations qui s'épand en même temps que les villes, les usines, les chantiers. Charles Marville donne un exemple magistral de cette approche avec ses vues du mobilier urbain de Paris. Les éléments appréhendés attendaient seulement que l'objectif les reconnaisse dans leur héroïcité.

Le motif ne se donne plus dans la représentation comme un objet d'étude, un support à la spéculation mais comme une forme contingente et dénotée (10). Tel dans la réalité, tel dans l'image : sa masse invite le flâneur ou le connaisseur à en saisir la forme, à en apprécier la solidité, à en comprendre l'utilité, à en mesurer le danger s'il n'est pas adroitement manipulé, réellement maîtrisé ou contrôlé. Le photographe ne s'immisce pas dans l'espace occupé par le motif pour s'y livrer à quelque ajustement; c'est auprès de son appareil qu'il échafaude une stratégie de capture dans laquelle l'évaluation de la distance et le choix de l'angle d'attaque sont déterminants.

Ramassée dans son immobilité, retenant une énergie prête à se déchaîner, la forme enregistrée s'impose par son entêtement à être. Les animaux se montrent par l'arrière-train, la croupe, les reins, symboles

(4) Henri Delaborde, *Mélanges sur l'art contemporain*, Paris, 1866, p. 359.

de force et de vigueur. Ils se prêtent à la fiction anthropomorphique : Noble, le lion (83) du *Roman de Renart*, Boxer[5], le cheval stakhanoviste (207). Mais les objets, signifiant aux gens l'«entrée en liberté de la matière»[6], s'animent pareillement. Quoi de plus trivial et de plus débonnaire que cette vaspasienne photographiée par Marville (172)! La représentation en fait une bête surnaturelle, un jouet monstrueux qui paraît capable d'initiative.

Loin d'être de mornes transcriptions, les images de machines, d'équipements, d'ouvrages d'art lorsqu'elles sont réalisées par des photographes qui ont autant de métier que de sentiment, s'imposent avec une intensité implacable. Elles ont devancé largement les arts du dessin et anticipé le développement de la photographie pure des années 1910 résultant des travaux de Paul Strand, Alfred Stieglitz et Charles Sheeler. Peu regardées en leur temps, elles attendent du nôtre la considération qu'on porte aux icônes, ce qu'elles étaient déjà obscurément dans une société qui découvrait «une nouvelle Trinité : Dieu la Machine, l'Empirisme matérialiste le Fils, et la Science, le Saint-Esprit»[7].

Le motif accumulé

Des images comptent plusieurs éléments et forment des catégories différentes selon la manière dont le photographe projette sur la plaque sa vision du motif dans l'espace. En voici qui se soucient moins de spatialité et qui ne focalisent pas le regard sur la corporéité du motif. Leurs composants sont «en quelque sorte anonymes, muets, n'ayant rien de particulier à dire individuellement»[8]. Les représentations plongent le spectateur dans l'écheveau des relations nouées entre les objets (32) ou le séduisent par l'effet cumulatif que procure la répétition ordonnée ou confuse d'un même élément (274). Le motif y est un jour maille (259), un jour pièce d'un puzzle (86), associé à des motifs identiques ou semblables.

Soit offerte au photographe par un caprice de la nature (243) ou par l'industrie humaine (86), soit disposée par lui (32), l'accumulation devient elle-même un motif. Qu'il l'ait inventée en l'organisant au préalable (composition) ou qu'il l'ait simplement sélectionnée (choix du point de vue), c'est par elle que le photographe s'est laissé envoûter, c'est elle que l'appareil a cadrée. Elle se produit sur l'épreuve comme une page d'anthologie attrayante pour l'esprit ou comme un ornement amusant l'œil.

En cela, ces images se distinguent des natures mortes, genre millénaire, que beaucoup de photographes ont pratiqué en démarquant la peinture, parfois avec habileté, dans des compositions intimistes ou en le renouvelant dans des arrangements à grande échelle réalisés à l'extérieur de l'atelier. En effet, les objets n'y paraissent pas pour eux-mêmes, dans la singularité de leur destin, de leur écorce, de leur substance; ils ne baignent pas dans ce silence qui enveloppe la représentation et ravit l'attention quand leur présence est fortement signifiée. Articles plutôt qu'objets, anodins et permutables, manquant d'adhérence au réel, ils deviennent des matricules.

En fait, la figure qu'ils dessinent les éclipse, frappe le regard : triangle, trapèze, rectangle ou polygone, elle étire sa surface vers les confins de l'épreuve et, parfois, d'une manière si compacte que l'espace n'y peut creuser aucun ajour (259). L'acte photographique mise sur ce jeu des entassements et des juxtapositions. Même si la panoplie d'ornements destinés au théâtre du Vaudeville a été disposée selon le hasard d'un stockage, il est probable que l'heureuse superposition des moulages confondant leur plan avec les deux autres (planches et vitrage) dans un tohu-bohu d'horizontales et de verticales a déterminé Durandelle à l'enregistrer (86). Matricules, ils le sont dans les tout premiers ateliers qu'ils n'intéressent qu'en raison de leur immobilité. Mais la pose introduit une durée de réflexion qui conduit quelques photographes, notamment Hippolyte Bayard, à moduler des variations sur l'assortiment, le nombre et l'emplacement d'objets choisis aussi pour leur luminosité. Dans ces premiers essais de sculpture des formes par la lumière, les pionniers découvrent derrière l'enregistrement le champ du photographiable et, sous la performance technique, l'œuvre photographique.

Cet arcane a incrusté dans la vision photographique du réel l'«obsessionnalité de l'arrangement»[9] imaginé ou repéré; elle a révélé la fonction sculpturale de la lumière qui remodèle sur l'épreuve les volumes laminés sans remède par la prise de vue (réserve faite de la technique stéréoscopique). Substitut de la troisième dimension procédant soit par placage, soit par imprégnation, pour rendre les galbes, souligner les rondeurs et détacher les saillies, l'éclairage marque également les équilibres et les cadences qui particularisent ces représentations. Sans cet agent révélateur, le sujet balancerait entre le bric-à-brac et la vitrine de bazar.

Le motif scandé

Subjugué par le motif, l'œil du photographe pénètre parfois la scène en y repérant aussitôt un échelonnement d'éléments qui donnera de la profondeur à l'épreuve. Scandant la photographie, le regard s'appuiera tour à tour sur chaque plan ainsi défini et s'emparera totalement du site représenté.

Les plans s'appellent et se répondent par le jeu des formes et des axes qui les matérialisent. Lyrique fouillis végétal, l'étude réalisée par Hill et Adamson n'en est pas moins construite sur une succession d'enchevêtrements qui marient harmonieusement leurs bois et leurs lacis dans une lumière unificatrice (111). Dans d'autres cas, des motifs simples en découpant seulement deux plans suggèrent l'espace. Eugène Atget est sensible à l'antithèse des branches de pommier pendantes au

(5) George Orwell, *Animal Farm*, Londres : Secker & Warburg, 1945 (trad. *Les Animaux partout*, Paris, 1947).

(6) Victor Hugo, *Quatre-vingt-treize*, Paris, 1874 (épisode de la caronade folle).

(7) Propos de Paul Strand, 1922, cités dans *Photographies*, n° 5, juillet 1984, p. 34.

(8) Michel Frizot, «Bayard en son jardin. Variations sans thème», Jean-Claude Gautrand et Michel Frizot, *Hyppolyte Bayard*, Amiens : Trois Cailloux, 1986, p. 84.

(9) *Ibid.*, p. 85.

premier plan et des ramures fusant sur l'horizon (13). Moins baroque et plus géométrique (triangulation), une vue d'Alfred Stieglitz montre ce thème de la branchette de pommier s'opposant à l'élan d'un fronton (234); chaque plan y module des contraires — le noir et le blanc, le plat et le plein, le rond et le droit — et les conjugue avec l'autre sur un mode binaire d'oppositions et de complémentaires.

S'il est vrai qu'un motif domine toujours dans ces poèmes visuels, par exemple la tige du lampadaire dans une vue d'Atget (15), il frappe moins par ce qu'il révèle de son identité que par l'élan ou le rythme qu'il imprime à la scène. Il est la clé d'une portée où chaque plan détermine une mesure. Il a fréquemment ce caractère multiple qu'on observait dans le motif accumulé mais, au lieu d'envahir toute la feuille, il y occupe une place limitée dans une attitude vive et drue entrant alertement en résonance avec le reste de la scène. Tel s'est montré à Atget l'escalier cascadant dans le parc de Saint-Cloud (6), tel Atget l'a enregistré sous un angle oblique propre à exalter l'incandescence de cette coulée de pierre dont les ressauts vivifient un paysage de verdure qui, sans elle, serait par trop paisible.

La fonction descriptive remplie ordinairement avec une efficacité suprême par la photographie appréhendant le motif s'efface. Bien que Famin aille dans la forêt de Fontainebleau afin d'y réaliser une série d'études pour artistes, ses vues d'arbres (94) l'égalent parfois en sensibilité avec celles d'un F.H. Evans qui travaille trente ans plus tard (92). L'inspiration poétique transfigure l'approche documentaire.

Le motif concertant

Si les photographies dont nous parlions à l'instant se déchiffrent comme des poèmes, d'autres s'écoutent comme des préludes. Les motifs s'y concertent ineffablement dans l'enchantement d'«une métaphysique devenue sensible» (Schopenhauer).

Ce sont pourtant des éléments bien humbles que le bon plaisir du photographe inscrit alors sur la feuille argentique. Nulle commande ne les impose, nulle science ne les réclame. Un rateau laissé sur le sol et des plantes exubérantes au fond d'un jardin paisible — sans doute celui d'Alphonse Karr à Nice — séduisent Gustave Le Gray (131). Un socle armorié, quelques marches et un feuillage buissonnant dans le parc d'une villa attirent l'œil de G. Chauffourier (64). L'histoire ne devait rien retenir de ces pans du réel que l'objectif soudain éternise et que l'épreuve nous invite à connaître.

C'est moins les objets dans leur essence que leur existence dans une atmosphère mystérieuse qui sollicite l'attention du spectateur. Chaque élément paraît savoir quelque chose d'une présence cachée et vouloir se taire à son sujet; c'est dans cette contention du silence que l'objet lui-même acquiert une intensité particulière.

Ces images où le photographe semble avoir surpris le motif sans être intervenu dans la disposition des objets sont rares au XIXᵉ siècle. D'autres représentations comme cette loge de pêcheur photographiée sans doute par Arthur Taylor et reproduite en phototypie par Gustave Arosa (3) campent sur la frontière qui sépare ces pages des natures mortes monumentales. Dans ces dernières — ensembles d'accessoires, d'outils et d'instruments ayant fait l'objet d'une mise en place préalable plus ou moins élaborée — la photographie oscille entre l'invention et l'imitation, entre la transcription lyrique d'une réalité indépendante de l'enregistrement et la transposition picturale d'une scène imaginée ou falsifiée pour la prise de vue.

L'épreuve réalisée par Le Gray ainsi que d'autres représentations de ce type et de ce temps (59) attestent, au moins dans chacun de ces cas, une pratique impulsive de l'acte photographique en dépit du lent déroulement des opérations matérielles. Elles appartiennent au monde de l'historicité hallucinée. Elles emplissent la vue de formes qui se donnent à voir séparément sous leurs apparences à la fois les plus belles et les plus modestes et globalement, dans les rapports qui les unissent, comme un fragment authentique de l'univers sensible. La photographie y devient l'«image folle, *frottée* de réel»[10], irréductible à tout autre mode d'expression.

Épilogue

En portant le regard sur ces représentations qui éclaircissent les futaies du réel, nous avons suivi tour à tour six layons où bruissaient crescendo les échos d'une harmonie nouvelle : là, une invention iconographique révolutionnaire s'arrache aux rets d'une esthétique séculaire. Elle prend possession de ses moyens techniques en se consacrant simplement au développement des fonctions que la société lui assignait : miroir pour le présent, mémoire pour l'avenir. Entre les mains de photographes aussi différents que Gustave Le Gray ou Louis-Émile Durandelle, elle y dévoile des qualités expressives spécifiques dont l'attrait fera basculer les grands talents de la génération suivante dans une approche de la réalité affranchie du préalable utilitaire. Détails du monde réel les fragments enregistrés deviennent des objets irréels indépendants de leurs modèles qu'ils relèguent dans une sorte de fiction historique. Un but devenu factice, c'est peut-être tout ce qui distingue parfois un Cuvelier d'un Stieglitz, une étude de chêne (73) de l'essai de 1932 «Poplars, Lake George»[11].

Bernard Marbot

(10) Roland Barthes, *La Chambre claire*, Paris : Gallimard/Le Seuil, 1980, p. 177.

(11) Dorothy Norman, *Alfred Stieglitz*, New York : Random House, 1973, pl. LXXIV.

23
Ch. Aubry
Berce à longue feuille
1864

39
A. Bilordeaux
Main drapée
1864

139
H. Le Secq
Montmirail. Au champ des cosaques, éboulis de terre
1852-53

142
H. Le Secq
Tronc d'arbre débité
1852-53

226
A. Salzmann
Jérusalem, escalier antique taillé dans le roc,
1854

73
E. Cuvelier
Fontainebleau, un tronc d'arbre
vers 1860

85
E. Durandelle
Colonne du Nouvel Opéra de Paris
vers 1872

201
P.-J. Potteau
«Trichaster annulatus»
1868

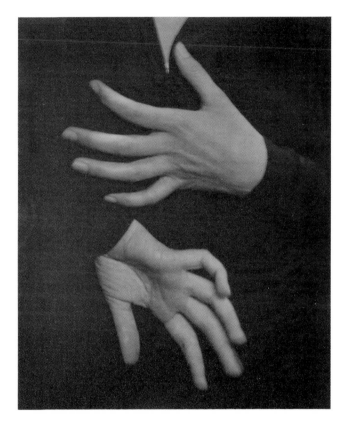

231
A. Stieglitz
Main de Georgia O'Keeffe
1918

252
A. Stieglitz
Mains de Georgia O'Keeffe
1920

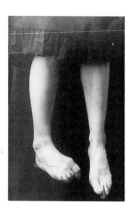

149
A. Londe
Iconographie de la Salpêtrière,
contractures hystériques
vers 1885

178 a
Mayer et Pierson
Album de la Castiglione
(détail de ses pieds en cothurnes)
1870

178 b
Mayer et Pierson
Album de la Castiglione
(détail de ses pieds en cothurnes)
1870

233
A. Stieglitz
Dorothy True
1919

10
E. Atget
Paris, Port du Louvre, 1er arrondissement
vers 1908

172
Ch. Marville
Urinoir (square des Batignolles)
vers 1870

32
H. Bayard
L'atelier de l'artiste
vers 1845

86
E. Durandelle
Paris, théâtre du Vaudeville, divers motifs architecturaux
vers 1870

259
Anonyme français
«Album Regnault», tas de pavés
vers 1848

274
Anonyme français
Briques de récupération pendant la guerre de 1914-1918
vers 1915

243
Tissier
Forêt de Fontainebleau (rochers)
vers 1877

13
E. Atget
Pommiers (détails)
1922-23

234
A. Stieglitz
Branches de pommiers devant un toit à pignon, Lake George
1922

131
G. Le Gray
Au fond du jardin, ou le rateau
vers 1860

64
G.-E. Chauffourier
Départ d'escalier d'une villa italienne
vers 1870

59
A. Capel-Cure
Tonnelle, Blake House
1860

3
G. Arosa, éditeur
Vaisselle et vannerie sur un pavage
1883

7

Réalisme

103
Godefroy
Promenoir de la prison de Mazas
1900-14

«...dans la photographie, je ne puis jamais nier que la chose a été là. Il y a double position conjointe : de réalité et de passé. Et puisque cette contrainte n'existe que pour elle, on doit la tenir, par réduction, pour l'essence, le noème de la Photographie. Ce que j'intentionnalise dans une photo... c'est la Référence, qui est l'ordre fondateur de la Photographie... — aucun portrait peint, à supposer qu'il me parût "vrai" ne (pourrait) m'imposer que son référent eût réellement existé».

Roland Barthes[1], *La chambre claire — note sur la photographie*, Paris, éd. de l'Etoile, Gallimard, Le Seuil, 1980.

Barthes met le doigt sur le caractère unique de la photographie, dès que l'évocation d'une réalité, historique, sociale ou individuelle, à travers le portrait, est en cause. De Giotto à Gros, les grands peintres d'Histoire[2] «réalistes», à l'époque où la photographie n'était pas encore venue sonner le glas du genre, savaient trouver le geste héroïque et juste pour exprimer le moment solennel. Mais, dans la photographie de reportage historique, la certitude que ce moment a eu lieu, donnée par sa représentation même[3], offre malgré son caractère souvent plus terne, une charge émotive supplémentaire. Considérons par exemple ce puissant regard échangé entre le Président Lincoln et l'un de ses généraux lors d'une bataille de la Guerre de Sécession (98). Même dans le cas où cette entrevue aurait été quelque peu mise en scène, selon le désir du Président, ou à l'initiative du photographe, Alexander Gardner, elle ne perdrait pas pour autant son caractère d'authenticité.

De même les morts, que Timothy O'Sullivan avait été prié de reproduire en nombre pour bien marquer le caractère horrible et fratricide de cette guerre[4] ne sont pas toujours, dans leur description photographique (196) plus criants de vérité que ceux de la *Bataille d'Eylau* peinte par Gros, sauf lorsque, étendus en attente d'une sépulture (195), ils laissent voir leur physionomie individuelle, excitant encore davantage notre pitié, car cette mort cesse, tout à coup, d'être abstraite à nos yeux, ou, lorsque la prise de vue, survenue quelques jours après la mort, nous laisse déjà entrevoir le phénomène de la putréfaction des corps.

En revanche, jamais un peintre ne pourrait figurer en même temps, faute de pouvoir le voir, comme le pouvait Lewis Hine, grâce à l'utilisation de son appareil instantané, un Graflex, les expressions si diverses de ces huit hommes, faisant partie, ainsi que le précise l'opérateur, de la file d'attente devant la Mission Bowery, par une nuit froide et neigeuse de 1906 (112). Qu'est-ce qui rend si bouleversants ces regards ? Précisément qu'ils vous fixent sans vous voir. Barthes a très bien parlé de ce regard qui retient vers l'intérieur tous les secrets du modèle[5] et

(1) Même un formaliste comme Szarkowski, 1966, p. 12, n'aborde pas autrement le réalisme photographique. L'approche de Roland Barthes en effet n'est pas du tout formaliste; seuls l'intéressent le rapport individuel (le sien notamment) et sentimental à la photographie dont le caractère artistique le laisse — dit-il! de marbre.

(2) Au sens que l'on donnait à ce genre, selon le classement hiérarchique de l'Académie au XVIIe siècle.

(3) Cf. p. 184 ce qu'en dit Barthes : la photographie est une émanation (photo-chimique) du réel.

(4) Alors qu'ils avaient été soigneusement évacués des évocations impérialistes de la Guerre de Crimée.

(5) Barthes, 1980, p. 172 à 175.

nous rend plus présente encore sa personnalité, affirmée tel un bloc compact et mystérieux[6].

Les peintres ou les photographes médiocres, lorsqu'ils traitent la misère, auraient, au contraire, tendance à donner au modèle un air qui vous implore droit dans les yeux, quêtant votre pitié avec une désagréable insistance. Combien est plus efficace ce regard direct qui n'est le fruit d'aucun artifice, allié à ces notations dans les costumes, frippés, et les visages, bouffis et mal rasés, qui traduisent la misère. Les photographies de Lewis Hine devaient lui servir d'illustrations pour une enquête sociologique sur la vie des émigrés dans les quartiers pauvres de New York et sur les conditions de travail des enfants dans les usines. Mais ce véritable artiste, parfaitement conscient que les meilleurs sentiments peuvent être les pires conseillers, ne s'est jamais départi de la sobriété du constat.

La simplicité de la mise en page et l'état de l'épreuve originale, pliée par un éditeur négligeant qui l'a recadrée, ne doit pas nous faire mésestimer l'art de Lewis Hine qui lui permet de saisir, dans toute son intensité expressive, le «moment décisif». Ce dernier, quand l'occasion s'en présente, est du reste moins discret dans ses recherches esthétiques : la lumière qui inonde une filature de coton de Caroline où travaille une petite fille, ne rend pas moins sinistre le sort de cette dernière (113) mais confère à la scène la beauté éclatante d'un spectacle[7]. Instantané ou mise en scène ? La question ne se pose même plus devant une telle image et elle n'est au fond pas toujours très pertinente dans le reportage photographique : les opérateurs continuèrent, après la mise au point de l'instantané, à avoir recours aux deux méthodes (276), même lorsqu'ils maîtrisaient parfaitement la première. Si Lansiaux n'est pas de la trempe d'un Lewis Hine, et s'il y a une certaine maladresse dans les poses un peu recherchées de ces Parisiens abrités dans une péniche pendant la guerre de 14 (123 et 124) les scènes n'en sont pas moins vraies; et non seulement nous croyons à la précarité de la situation de ces malheureux, qui se mélange curieusement au plaisir d'être recueillis et photographiés, mais nous avons la sensation physique de leur claustration (124) dans l'espace réduit qui leur est alloué.

Dans les premiers temps de la photographie les «reporters» étaient évidemment bien en peine de nous montrer le feu de l'action, ils pouvaient tout au plus dérouler longuement devant nos yeux les préparatifs d'une guerre dans tous ses détails (Roger Fenton pour la guerre de Crimée) ou ses conséquences dramatiques (destructions après la campagne de Sherman pendant la guerre de Sécession par Barnard et son équipe), comme l'avaient fait les Bisson (43) ou Baldus, lors d'un cataclysme naturel (27). Ce dernier reproduisit à la demande de Napoléon III diverses scènes des inondations du Rhône de 1856 à Lyon et Avignon. Combien ces grandes images muettes nous paraissent plus actuelles que les nombreux tableaux exposés au salon de l'année suivante et montrant, selon une tradition iconographique devenue totale-

(6) Dans son analyse des portraits d'Ingres Robert Rosenblum, (*Ingres*, New York, 1967) remarque le «strabisme divergent» grâce auxquels les modèles fixent le spectateur, sans se livrer pour autant, un procédé traditionnel dans le portrait peint.

(7) On observe de tels effets de lumière dans le reportage qu'effectua Charles Nègre en 1858-59 sur l'*asile de Vincennes* créé par Napoléon III pour les ouvriers blessés sur les nombreux chantiers de son règne; un des premiers, sinon le premier, reportage social en photographie.

ment vide, la générosité de l'empereur faisant distribuer des aumônes aux sinistrés.

Barricades de Palerme lors du Risorgimento (132), prises par Le Gray, taudis de Glasgow destinés à la démolition (2) ou couloirs et dortoirs de la Prison Ste Pélagie (265 et 264). Ce sont toujours, jusqu'au tournant du siècle, et après encore, avec Atget, des espaces vides que nous sommes amenés à contempler, le «théâtre du crime» comme le rappelle Walter Benjamin[8].

Dans la photographie de reportage, ou le portrait, la légende commentant la photographie est indispensable à une certaine compréhension de l'image — Bien que le problème se rencontre aussi dans la peinture traditionnelle, sans oublier les cas où tout le contexte symbolique, évident pour l'époque, est souvent de nos jours oublié, les sociologues de la photographie, de Gisèle Freund et Jean Keim à Susan Sontag et Max Kozloff, ont été très agités par cette question : très souvent en effet une photographie est extraite du contexte dans lequel elle fut réalisée, soit par ignorance, par négligence ou par réelle mauvaise foi, soit dans le but de la placer dans une pure perspective esthétique.

Evidemment Alfred Stieglitz, qui ne voulait pas faire de son célèbre *Steerage* de 1907 un reportage, mais une image symbolique, pouvait s'amuser de voir que le public lisait cette image immédiatement comme l'arrivée à New York (ce qui n'était absolument pas le cas), d'un bateau à l'entrepont chargé d'émigrants. Mais comment interpréterait-on l'image de cette chemise (22) si l'on ne savait pas que l'empereur Maximilien du Mexique l'avait sur lui, lors de son exécution dont François Aubert exécuta la chronique en images[9]. On serait peut-être davantage incliné à admirer l'œuvre même, la beauté des détails quotidiens : cette porte-fenêtre aux rideaux à carreaux, à laquelle est attachée le vêtement ou au contraire, à condition d'ignorer la matière typiquement XIXe siècle de l'épreuve, on serait tenté d'y voir une œuvre conceptuelle. Sans doute noterait-on les trous des balles... Mais nous serions privés en tout cas du contenu mythique de l'histoire, que viennent encore enrichir les tableaux peints par Manet sur le même thème.

Comme l'a remarqué Szarkowski[10], la photographie, dans la mesure où elle ne peut que présenter des fragments isolés d'une scène, ne narre pas, elle peut tout au plus symboliser. Et quel meilleur symbole de la vie carcérale, que cette vue du promenoir de la prison de Mazas par l'obscur Godefroy (103) : les barreaux, comme le triangle du mur fermant la perspective, tout nous y parle de l'enfermement.

Plus encore peut-être que le reportage historique ou social, le portrait est le domaine dans lequel le pouvoir d'authentification de la photographie s'exerce avec le plus de force. Roland Barthes n'hésite pas, en l'occurrence, à parler de magie : «La photo est littéralement une émanation du référent. D'un corps réel qui était là, sont parties des radiations qui viennent me toucher, moi qui suis ici... la photo de l'être disparu vient me toucher comme les rayons différés d'une étoile»[11].

(8) Walter Benjamin, 1971, p. 153. La formule n'est pas de lui (de Camille Recht ?) et s'appliquait à Atget qui photographia en pleine époque de l'instantané un Paris désert, comme une coquille vide. A l'exception bien sûr de ses quelques études sur les petits métiers dans lesquelles il se concentrait au contraire sur les figures.

(9) Précisément, cette image est parvenue au collectionneur non légendée, donc privée de tout contexte.

(10) Szarkowski, 1966, p. 9.

(11) Barthes, 1980, p. 126.

Même avant la mise au point des techniques instantanées, le photographe avait le choix entre deux conceptions du portrait : l'une, synthétique, est une composition destinée à exprimer le caractère du modèle dans son ensemble[12], selon une tradition héritée de la peinture, même si le résultat est purement photographique : c'est ainsi que procédèrent en général les plus grands photographes portraitistes du XIXᵉ siècle : Félix Nadar, Etienne Carjat, et Julia Margaret Cameron, dont les «clients» furent le plus souvent des personnalités hors du commun. Mais dès les débuts du médium, on observe chez certains amateurs — dans le meilleur sens du terme, tel Victor Regnault (209 et 210) Louis Robert (224) Olympe ou Onésipe Aguado — ce dernier pouvant être fasciné (1) comme Degas, par l'intéressante laideur d'un profil féminin[13], un goût pour le portrait traduisant l'éphémère, même s'il est posé, et sans aucune prétention de caractériser. Et même chez les deux frères «Nadar», depuis que l'on croit distinguer mieux leurs talents respectifs, on remarque chez Adrien Tournachon, esprit faible sans doute, mais œil incomparable, cette même propension à l'instantané. Dans son *Autoportrait au chapeau de paille* (244), d'une sensualité étrangère au style plus sobre de Félix, cet être plutôt connu pour son tempérament maussade et rechigné, a su rendre un moment de parfaite béatitude. Le portrait du *sculpteur Emmanuel Frémiet* (246) exprime également, avec un grand bonheur, une mimique fugitive : les sourcils légèrement froncés les yeux mi-clos, un tic de l'artiste, tandis que la main retouche la cravate.

Vers le tournant du siècle bien entendu, avec l'apparition d'un instantané véritable et de plus en plus rapide, cette conception du portrait momentané[14] prend d'autant plus d'importance qu'elle correspond à une évolution générale de l'art et des mentalités vers un «impressionnisme» qui aura la vie longue. Dans les années 1920, pour Rodtchenko[15] comme pour Proust, dont l'œuvre vient de paraître, brosser le portrait d'un personnage, cela revient à faire le détail de ses multiples apparitions dans le temps.

Les magnifiques portraits de démentes (82) que prit le Dr Hugh Diamond, de ses patientes de l'Asile du Comté de Surrey, dont il fut Superintendant de 1848 à 1858, représentent un genre à part du portrait conçu comme un élément de diagnostique — et même éventuellement de cure ? médicale. Par les conditions de leur réalisation et par leur qualité artistique indéniable, ces effigies sont comparables à la série que Géricault peignit quelques décades plus tôt. Dans les deux cas il s'agit de portraits composés pour caractériser un type.

La photographie scientifique[16] et notamment médicale, connut une expansion considérable au XIXᵉ siècle, à titre de collaborateur et de témoin des découvertes qui ne cessaient de se multiplier. Et là encore, sa supériorité par rapport au dessin résidait dans le caractère d'authenticité que l'on accordait à cette transcription, sans même parler de techniques, telle la vision spectrale par rayons X (152 et 277) ou infrarouges, propres à la photographie et permettant de voir des choses jusque-là inaccessibles à l'œil.

(12) Cf. Orlik, cité par Walter Benjamin, 1971, p. 64, et parlant des débuts de la photographie «la synthèse de l'expression obtenue de force par la longue immobilité du modèle, est la principale raison pour laquelle ces clichés, en dépit de leur simplicité d'images bien dessinées ou bien peintes (sic) produisent sur le spectateur une impression plus frappante et plus durable que les photographies actuelles». L'expression d'Orlik «longue immobilité du modèle» est ambiguë ; il faut comprendre : le temps de préparation de la pose pendant lequel l'opérateur cherchait le meilleur angle de prise de vue (même à l'époque de Degas, ou aujourd'hui encore, cela peut durer très longtemps) et non le temps de la prise de vue.

(13) Il a photographié également de dos la tête de cette même femme — stupéfiante image de la collection Gilman à New York.

(14) Sur laquelle nous ne reviendrons pas, car elle est suffisamment traitée dans les chapitres 4 et 5 du présent catalogue.

(15) Cf. son texte de 1928 : *Contre le portrait composé, pour le cliché instantané*, dans Rodtchenko. 1988, p. 133 à 134.

(16) Cf. pour tout ce qui concerne astronomie et biologie, le chapitre 8, *l'abstraction*.

Le même esprit scientifique a aussi amené les photographes à poursuivre l'archivage iconographique de tous les accidents ou aberrations de la nature humaine (blessures de guerre, maladies de peau, difformités, etc.) enregistrées jusque-là par le dessin ou la gravure. Et comme la photographie détaille de façon précise, tout en les immobilisant, de tels spectacles, elle satisfait d'autant mieux en nous le voyeurisme[17] qu'elle permet de se livrer à cette passion tranquillement, à l'abri de tous les regards. Très vite, dès leur production peut-être, ces épreuves médicales, créées dans un but de recherche, ont dû rencontrer un autre type d'amateurs, simples curieux, ou véritables collectionneurs de monstruosités.

L'examen d'un hermaphrodite (185) fait partie d'une série de trois études au moins, commandées par un médecin à Félix Nadar, vers 1860. Cette image, la plus explicite des trois, nous a paru d'une telle force, presque insoutenable à la vérité, qu'elle peut suffire à elle seule à évoquer toute l'ambiguïté de la photographie médicale. Celle-ci dépasse de loin le simple problème du voyeurisme, mais exprime les contradictions de la médecine elle-même : le geste, terrible, du médecin porte toute l'attention sur cette malformation, dans le but, encore très lointain à l'époque, d'y porter remède. Inspiré par la générosité, ce geste n'en constitue pas moins un véritable viol de l'intimité de cette pauvre créature qui cache d'ailleurs son visage de façon pathétique. La voilà traitée comme un objet et son drame personnel, ramené au niveau d'un cas scientifique.

Etant donné l'aptitude de la photographie à rendre la texture des choses, de nombreux photographes continuèrent à composer, comme l'avaient fait les peintres avant eux, des natures-mortes pour lesquelles ils étaient assurés de trouver une clientèle. Adolphe Braun n'a-t-il pas fait réaliser de monumentaux trophées de chasse vers 1865, destinés à décorer des salles à manger[18], qui eurent un grand succès, au moins jusque vers 1910. Il y eut donc d'admirables natures-mortes photographiques au XIXe siècle. On est frappé, par exemple, de la modernité de ces *produits de la pêche et de la chasse* par Roger Fenton (96), due à une composition décentrée et vue en surplomb, alliée à un traitement d'une saisissante précision, grâce à l'emploi du négatif verre contact. Le Secq fut un maître dans ce domaine, car il sut le mieux intérioriser et faire vibrer les objets qu'il représentait. Mais, ses *Harengs Saurs* (146), que nous disent-ils de neuf, même s'ils le disent autrement, que Chardin ne nous ait déjà fait sentir ?

La nature-morte en photographie allait encore connaître de beaux jours au temps du pictorialisme, avec les effets de lumière si précieux d'un De Meyer, les constructions audacieuses d'un Kuehn; en 1915. Paul Strand, touché par l'exemple du cubisme, renouvelle complètement le genre (235).

Mais puisque cette exposition met l'accent sur l'originalité révolutionnaire de la photographie, il est bien évident que ce n'est pas dans la nature morte, composition purement arbitraire, que cette dernière allait, du moins au XIXᵉ siècle, trouver sa vraie voie, une voie déjà trop bien labourée par une tradition picturale d'une exceptionnelle richesse, dans l'évocation des choses, mais en allant les dénicher, telles quelles, dans le cadre de la vie réelle. Ainsi, les plus beaux morceaux réalistes en photographie luisent-ils comme des joyaux dans un portrait ou une scène vivante : la fascinante étoffe moirée de Madame Regnault (210), le ventre rebondi du pseudo-enfant Jésus de Cameron (54), la blancheur et l'éclat de la chemise de Marthe Bonnard, voisinant l'écorce d'un arbre (49), une notation d'autant plus savoureuse qu'elle est très atypique des photographies de Pierre Bonnard. Les plus novateurs sont ces motifs inattendus qui, découpés dans le tapis de la vie, prennent un relief subit[19]. Au XXᵉ siècle, Edward Weston, virtuose du détail, saura ainsi nous présenter un lavabo, un poivron, le fragment d'un corps de femme ou d'enfant, comme on ne les avait jamais vus auparavant.

Mais déjà, dans le cadre de la photographie urbanistique, si l'on peut dire, bien des photographes du siècle précédent ont su nous faire découvrir des pans entiers de la réalité qu'on ne regardait pas assez pour en faire le sujet d'une image, telle cette simple palissade couverte d'affiches, distinguée par Roger Fenton dès 1852 (95). Pour Walter Benjamin qui écrivait en 1931, en pleine période surréaliste, Atget, en recherchant dans ses photographies de Paris «ce qui est perdu et détourné» au lieu «des grandes avenues... caractéristiques» était un de ceux qui, avant les surréalistes, avait su «(préparer) ce salutaire mouvement par lequel l'homme et le monde ambiant deviennent l'un à l'autre étrangers»[20]. Etrangers... pour mieux se redécouvrir : telle boutique de corsets (11), croisée quotidiennement le long d'une rue sans que l'on y prête attention, nous est restituée par l'artiste dans toute sa réalité insolite. Ou cette absurde rencontre, devenue fameuse, de la chaussure d'un nain et d'un géant et de leurs sièges respectifs empilés dans une baraque de la Foire du Trône (16).

Si Atget fut un prodigieux révélateur du bizarre dans un monde familier, en cherchant bien, on retrouve, éparpillées maintes photographies dans lesquelles s'entrechoquent réalité et fantastique : un cratère de volcan — le sujet s'y prêtait évidemment — lançant ses vapeurs, pris par Muybridge au Guatemala (183), un bouquet de colonnes tronquées, menacées par la montée des eaux, saisies dans un éclairage qui accentue l'irréalité du spectacle, à Pouzzoles par Rumine (225), ou, enfin, un embranchement des égouts de Paris photographié par Félix Nadar (188) avec des lampes au magnésium qui donnent à l'ensemble un aspect fantômatique.

Nous avons défini jusqu'à présent l'originalité essentielle de la photographie par son absence d'intervention dans le réel qu'elle cadre sans le composer; il faut reconnaître cependant que parfois les photographes ont intentionnellement mis en scène, non parce qu'ils ne pouvaient faire autrement, mais parce qu'ils voulaient donner naissance à un

(17) Sur la photographie et le voyeurisme cf. Kozloff, 1979, p. 39 à 59, et l'adaptation et la traduction française de ce texte par Dominique Pasquier dans la *Revue de l'art*, nº 39, 1978, p. 15 à 18.

(18) Le procédé inaltérable au charbon, utilisé par Braun pour les épreuves, leur permettait d'être exposées à la lumière, sans en souffrir plus qu'une gravure.

(19) C'est là tout le sujet du chapitre précédent, *le motif valorisé.*

(20) Walter Benjamin, 1971, p. 70 et 71.

nouveau type de fiction réaliste, à l'image du théâtre ou du rêve[21]. Cette notion de la fiction ou du théâtre est elle aussi, très importante en matière de photographie, qu'elle fût ancienne, moderne ou contemporaine. Pour élaborer cette fiction les photographes ont souvent fait appel à des techniques dérivées de la photographie, collages ou photomontages[22]. Nous avons préféré mentionner à ce sujet les photocollages anglais des années 1860, encore peu étudiés, plutôt que les photomontages des cartes postales du tournant du siècle, mieux connues parce qu'elles ont fait les délices des surréalistes.

Il y a aussi de simples rassemblements d'objets plus discrets et plus sobres, parfaitement réalistes en apparence, mais qu'un simple détail peut faire basculer dans la fiction, ou, en tout cas, dans le concept. On entrevoit ce glissement, encore très ténu, dans une jolie nature-morte qu'Auguste Vacquerie a composée en l'honneur de Victor Hugo (251). Un portrait photographié de ce dernier, pris par Vacquerie, lui-même entouré par les derniers livres du poète : *Napoléon le Petit, les Châtiments, Actes et Paroles de l'exil*, et une fleur, forment une sorte de petit autel votif, mi-symbolique, mi-fétichiste, à la gloire du poète. (Quel est l'auteur d'un autre cliché montrant des fleurs arrangées en forme de H, conservé au Musée d'Orsay? En tout cas l'image, provenant de la famille est tout droit sortie de «l'atelier de Jersey»). N'oublions pas que le décor même de la nouvelle maison des Hugo, *Hauteville House*, à Guernesey auquel le poète, secondé par sa famille, a travaillé pendant plusieurs années, était inspiré, jusque dans ses plus infimes détails, par ce même symbolisme étroitement centré autour de la personnalité de l'auteur des *Contemplations*. Naturellement ce genre de compositions décoratives édifiées à la gloire de quelqu'un se pratiquaient depuis longtemps, mais, désormais, la photographie et non plus la gravure allait servir à en perpétuer la mémoire.

Il en est de même de ces natures-mortes représentant les attributs du photographe, suivant une tradition chère à la peinture et à la gravure, telle celle-ci de Le Secq (145). Un objectif en cuivre y voisine avec une bouteille, contenant sans doute quelque produit chimique nécessaire aux bains du négatif ou de l'épreuve, et portant sur l'étiquette l'inscription : *Fantaisies./Clichés/ par H. Le Secq.* Au premier plan à droite figurent le tabac et la pipe de l'artiste, motif coutumier de ces compositions, et derrière, on devine un entonnoir et un récipient plein, en verre. A coup sûr cette image devait servir de page de frontispice pour un album. Le Secq conçut encore deux pages de titre de ce type, dont l'une représente l'artiste debout en pleine campagne, désignant d'une branche d'arbre, comme le ferait un professeur au tableau noir, les mots écrits à la craie sur une palissade : *Croquis/ Héliographiques/ par/ H. Le Secq.* Dans une marine de Terre Neuve, photographiée par le Commandant Miot, et destinée visiblement au même usage, des mousses sont en train de peindre sur un rocher monumental le mot *Album*. A l'époque contemporaine les artistes conceptuels feront très largement appel à la photographie pour garder la trace de leur inter-

(21) Nous adoptons ici un point de vue plus large que John Szarkowski dans *The Photographer's eye*, essai ne concernant que la transcription pure et non trafiquée du réel.

(22) Cf. le chapitre 2, *Médium*, p. 41 à 43.

Henri Le Secq
Autoportrait, projet de frontispice pour un album
de croquis héliographiques
vers 1852-53
Paris, Bibliothèque des Arts décoratifs

180
P.-E. Miot
Rochers à Terre-Neuve
1859

vention, forcément fugitive, dans le paysage naturel; mais ce qui n'était qu'un jeu aux yeux des photographes du XIXᵉ siècle deviendra alors une cérémonie de caractère presque sacré.

Dans *le Rêve* (212) de Rejlander, un artiste qui a su exprimer la conception à la fois la plus rétrograde et la plus moderniste de la photographie[22], le caractère fictif de la composition apparaît plus clairement : si la crinoline est un objet courant du Second Empire et de l'époque victorienne, et même fréquemment représenté dans l'illustration satirique, dans un univers masculin, les mannequins l'escaladant sont un motif plus rare, semble-t-il, dans ce contexte. L'association de ces deux objets — déjà typiquement présurréaliste, avec cet homme dormant d'un sommeil troublé, nous offre une superbe représentation, toujours très actuelle, de la rêverie érotique, et du rôle que peuvent y jouer les objets fétichistes.

Tandis que cette femme emmaillotée dans des bandelettes (118) montre que très tôt, certains photographes ont fait un usage très personnel de la photographie pour faire vivre leurs fantasmes. Cette belle et mystérieuse image provient d'un album constitué dans les années 1890 par un détestable peintre d'Histoire, Charles Jeandel. Les modèles nus mimant des scènes de torture qui le remplissent, pouvaient à la rigueur servir d'esquisses pour les scènes de martyrs romains de ce dernier; mais il est clair que leur principale raison d'être était de combler l'imagination névrotique de l'auteur. Cette fonction de la photographie, réceptacle de l'imaginaire, ira bien sûr croissant jusqu'à nos jours, où l'on a enfin compris que la soi-disant objectivité de la photographie est une notion à considérer avec la plus grande prudence.

Françoise Heilbrun

98
A. Gardner
Abraham Lincoln et le général McLellan
à la Bataille d'Antietam
1862

132
G. Le Gray
Rue de Tolède à Palerme,
barricade du Général Turr
1860

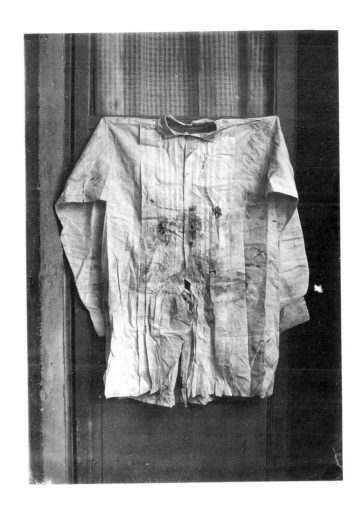

22
F. Aubert
La chemise de l'Empereur Maximilien du Mexique
après son exécution
1867

195
T. O'Sullivan
Confédérés morts en Virginie
lors de la guerre de Sécession
20 mai 1864

196
T. O'Sullivan
Soldat confédéré du Corps Ewell
tué lors de l'attaque
du 19 mai 1864

262
Anonyme français
Alfortville, rue Véron (partie Nord)
1876

27
E. Baldus
Négatif. Inondation du Rhône à Lyon
1856

109
D. O. Hill et R. Adamson
Enfants de pêcheurs, New-Haven
1843-46

113
L. Hine
Fillette employée dans une manufacture de coton en Caroline
1908

112
L. Hine
File d'attente à la Mission Bowery par une nuit froide et neigeuse
1906

265
Anonyme français
Prison Ste Pélagie, couloir de La Dette
juillet 1889

264
Anonyme français
Prison Ste Pélagie, dortoir à 7 lits
juillet 1889

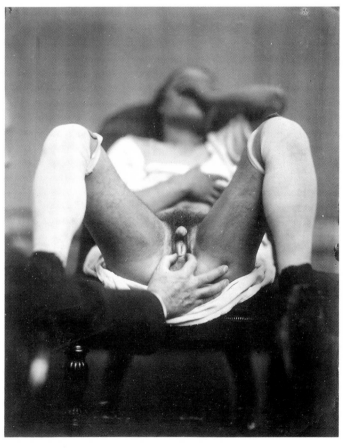

82
H. Diamond
Démente du Surrey County Asylum
vers 1853

185
F. Nadar
Examen d'un Hermaphrodite
Vers 1860

96
R. Fenton
Gibier de forêt et de rivière, nature morte aux poissons
1858-59

11
E. Atget
Paris, Boulevard de Strasbourg. Boutique de corsets
1912

95
R. Fenton
Mur de Londres couvert d'affiches
1850-1852

49
P. Bonnard
Montval, Marthe retirant sa chemise
1900-1901

191
C. Nègre
Modèle en chemise assise sur un lit dans l'atelier de l'artiste
1848

225
G. Rumine
Ruines de l'ancien marché
dit Temple de Serapis à Pouzzoles
D.L. 1860

183
E. Muybridge
Cratère de volcan,
Querzalte Naugo, Guatemala
1875

16
E. Atget
Paris, Foire du Trône,
Baraque du nain et du géant
1925

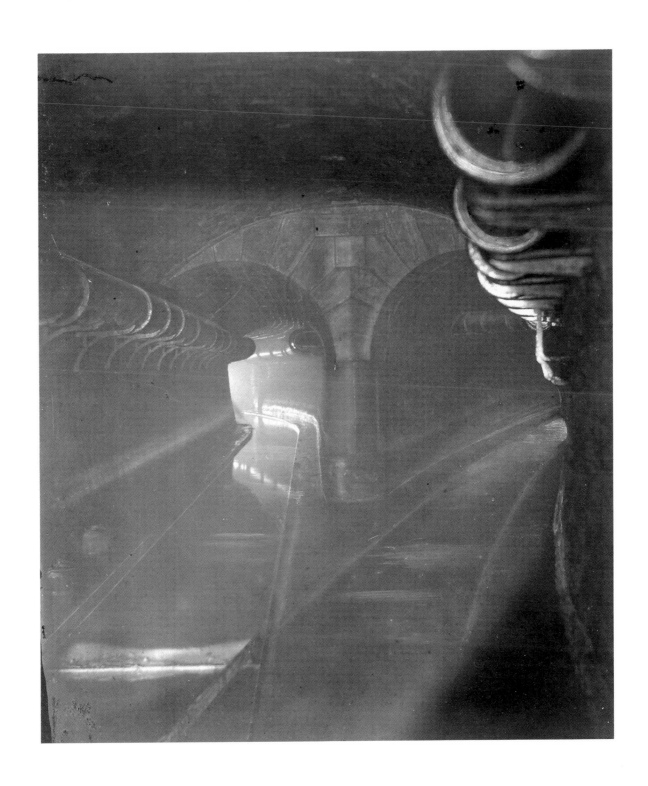

188
F. Nadar
Les Égouts de Paris,
Embranchement
1861

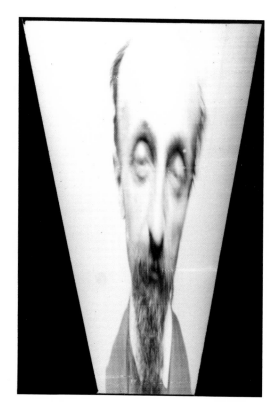

101 a
L. Gimpel
Autoportrait à travers une glace déformante
vers 1900

101 b
L. Gimpel
Autoportrait à travers une glace déformante
vers 1900

84 a
L. Ducos du Hauron
Autoportrait dit
«en anamorphose»
1889

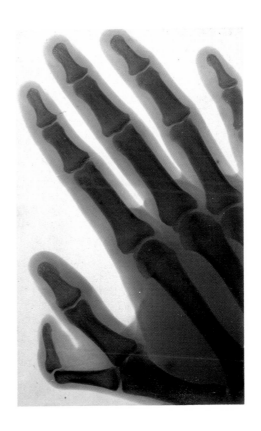

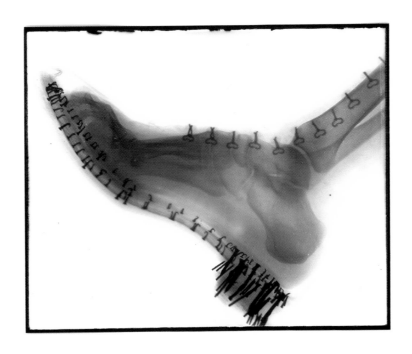

152
A. Londe
Main à deux pouces, radiographie
vers 1900

65 bis
Dr G. Chicotot
Pied dans une chaussure, radiographie
1897-98

251
A. Vacquerie
Composition en l'honneur de Victor Hugo
1855

145
H. Le Secq
Nature morte «Fantaisies/Clichés»
vers 1852

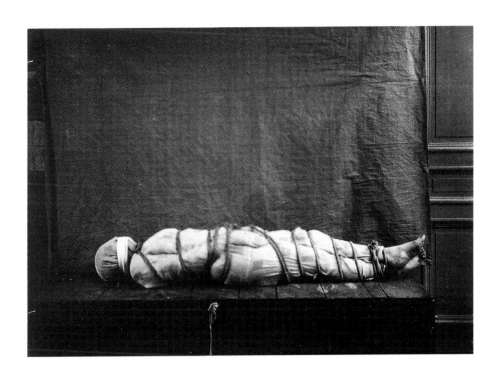

118
C.-F. Jeandel
Modèle féminin enveloppé dans un drap
1890-1900

212
O. Rejlander
Le rêve
1860

Géométrisation et abstraction

164
J. Marey
Photographie d'écoulements aérodynamiques
1900-1901

Avec l'apparition de la photographie, des images d'un esprit nouveau voient le jour, caractérisées par une formulation géométrisée ou abstraite du motif, ou bien traduisant des fragments eux-mêmes de configuration abstraite. De nombreuses images attestent de cette nouvelle rigueur formelle que suscita la photographie au XIXe siècle, dans certains domaines traditionnels de la peinture d'abord, comme la vue d'urbanisme ou la vue d'architecture, dans lesquelles la géométrisation (conçue comme un premier pas vers l'abstraction), est favorisée par une vocation plus fonctionnelle souvent que décorative de l'image, alors que dans l'interprétation du paysage, c'est une tendance à l'abstraction qui caractérise plutôt l'approche du motif. La photographie scientifique a été à l'origine de véritables images abstraites, — avec l'analyse de l'objet, et plus encore celle de différentes expérimentations ou bien l'investigation de nouvelles dimensions, — qui constituent par rapport à l'ensemble des arts plastiques un bouleversement radical de la représentation. Pour bien saisir tout ce qui caractérise ces nouvelles abstractions du XIXe siècle, il est intéressant de les comparer aux concepts de la peinture abstraite qui s'élaborent dans la première décennie du XXe siècle, et enfin à cette nouvelle formulation de l'abstraction photographique qui émerge dans les années 1915-20, laquelle n'est plus le fruit de recherches éparses d'esprit souvent documentaire, mais l'affirmation d'une démarche artistique. La sensibilité d'aujourd'hui nous permet de voir que l'art était bien souvent déjà présent dans ces images du XIXe siècle, et que par leur diversité, elles préfiguraient de nombreuses recherches modernes et contemporaines, en photographie comme en peinture.

La géométrisation (urbanisme et architecture)

Sans doute trouve-t-on de nombreux exemples de géométrisation de l'espace et du motif dans la peinture et les arts graphiques (sans même parler de l'intervention de la géométrie dans toute composition basée depuis la Renaissance sur les règles de la perspective), depuis la représentation schématique et géométrisée de l'architecture chez les Primitifs italiens, jusqu'à l'utilisation de formes géométriques par le graveur Bracelli dans la représentation des figures humaines.

En photographie, la géométrisation apparaît dans la vue urbaine et l'architecture, domaines où elle n'était perçue que de façon fragmentaire dans la représentation traditionnelle, du fait d'un cadrage plus large et d'une conception décorative qui faisait de l'animation de la scène par des personnages et des éléments pittoresques des compléments obligés de la composition. Si certains photographes restèrent tributaires d'une telle conception, d'autres, par le choix de motifs déjà de configuration plus ou moins géométrisée, et surtout par la façon de le mettre en page par un cadrage serré, ont mis le point sur l'essentiel, qui se résout dès lors en figures géométriques. Cette conception nouvelle du motif, occasionné souvent par les nécessités de l'approche documentaire ouvre la voie à une rigueur formelle tout à fait nouvelle dans les arts visuels.

Cela est particulièrement manifeste dans la représentation de cette architecture des ingénieurs dont il a déjà été question (voir chapitre sur le cadrage), qui suscita tout un courant photographique à partir des années 1850 destiné à la servir, lequel conçut des effets de géométrisation saisissants, tout en respectant les principes de la perspective traditionnelle.

Dans l'image du *Pont sur le Tarn* (42), les frères Bisson utilisent habilement la topographie du lieu pour élaborer une construction puissante et dynamique basée sur un jeu de parallèles, et scandée par le rythme régulier de chaque ouvrage, celui situé en premier plan servant à démontrer la suprématie des formes modernes qu'autorisent les nouveaux matériaux, sur le second de conception plus traditionnelle. Avec *le Viaduc de Bellon* (37), Berthaut pénètre directement dans l'ouvrage, et tout en montrant l'ordonnancement complexe des motifs géométriques, conçoit un point central dans la perspective vers lequel convergent les lignes essentielles de sa composition, obtenant ainsi une force cynétique qui sert admirablement la conception de cette architecture. De telles images, si novatrices d'esprit, tiraient leur puissance expressive de l'exploration de ce monde moderne, si «raide» et «disgracieux» aux yeux d'un Gustave Flaubert, et en constituaient une véritable apologie. C'est là une particularité de la photographie du XIXᵉ siècle, car les peintres impressionnistes, par exemple, lorsqu'ils représentaient une construction de l'architecture des ingénieurs (un pont, un viaduc) à partir des années 1870, le traitaient comme tout autre motif inclus dans une composition (même si celle-ci est très libre par rapport aux règles académiques du paysage), sans véritablement faire valoir, à l'exception de Gustave Caillebote, ces formes modernistes ou la texture des matériaux nouveaux.

En cernant le motif architectural de plus près encore, ou en le représentant selon un autre schéma perspectif (plongé ou contre-plongé) Paul Strand à partir des années 1915, et les photographes du Bauhaus, comme Moholy-Nagy vont faire évoluer cette géométrisation vers l'abtraction, le propos de l'image n'étant plus de servir une intention architecturale, mais d'être une création en soit l'interprétant très librement. Le graveur Henri Rivière avait déjà dans ses photographies de la Tour Eiffel, conçues en 1889 pour son propre usage, inventé de semblables abstractions qui traduisent de façon très personnelle les motifs géométriques de cette construction (220). Et durant tout le XXᵉ siècle, l'architecture et l'urbanisme, arts par excellence de la géométrisation de la forme et de l'espace, n'ont cessé d'inspirer les photographes dans l'expérimentation de nouvelles abstractions.

Au XIXe siècle, les différentes formes d'abstraction qui se font jour, proviennent toujours de l'interprétation d'un motif de la nature, visible ou non à notre œil, d'un objet façonné par l'homme, ou d'une expérimentation tentée par lui, et non comme cela est souvent le cas au XXe siècle, d'une construction de configuration abstraite élaborée en vue de la photographie (comme par exemple les découpages de papier auxquels se livrait Francis Bruguière dans la série des *Light Abstractions* durant les années 30), ce qui ne signifie nullement, bien sûr, qu'il s'agisse d'une démarche inconsciente. Une grande partie de l'abstraction des avant-gardes du XXe siècle est également le fruit d'une analyse de motifs semblables, existant dans la nature ou façonnés par la société industrielle.

Le paysage a été au XIXe siècle le terrain de prédilection d'une certaine forme d'abstraction, de celle qui exploite la conformation du motif sans vouloir en faire perdre vraiment la conscience ou en dissoudre la matérialité. Certes, comme l'a remarquablement démontré Peter Galassi, une partie importante du paysage photographique des années 1850 trouve sa source ou a des corollaires dans la peinture ou les esquisses des artistes romantiques, mais inversement certaines photographies de Vigier, de Baldus, de Jackson ou d'autres, démontrent une approche plus abstraite du motif, dans laquelle toute vision idéalisée, réaliste ou naturaliste du paysage cède le pas à une perception abrupte et schématique qui n'a pas d'équivalent en peinture.

Une image du Grand Cañon du Colorado de William Bell (33) permet de saisir immédiatement toute l'inventivité visuelle de cette nouvelle approche du paysage, avec cette plongée dans l'espace (notre exemple aurait tout aussi bien pu ne pas être lié à un tel cadrage) qui mélangent abstraitement les différents plans de la composition et construit le motif avec force et dynamisme à l'aide d'une diagonale. L'audace d'une telle mise en page annonce les vues aériennes, dont certaines, comme ce paysage très élaboré de Gimpel réalisé d'un ballon (102) ou celui destiné à l'information militaire (275), devancent certaines recherches de l'abstraction géométrique des années 50. Ces images nous paraissent d'autant plus intéressantes que l'abstraction ne résulte pas du tout ici d'une recherche d'ordre plastique ou stylistique, comme le conçoivent un Coburn ou un Strand à peu près au même moment ou les différentes avant-gardes dans les années 20, mais d'une expérience visuelle qui tient de l'anecdote dans le premier cas et de la fonction documentaire dans le second.

Un autre type d'abstraction nous est fourni par une image du *Rocher des Proscrits* à Jersey (n° 115) que Charles Hugo réalisa en compagnie de son père, où la vision rapprochée du motif traité de façon symbolique comme un objet personnalisé, scrute les formes abstraites du rocher, comme pour mieux répondre à une interrogation sur la signification des formes. Il est certain que c'est ici l'abstraction du motif qui intéressa

Victor Hugo, qui fut le premier à concevoir en dessin de pures abstractions, dans le sens où toute figuration disparaît.

La photographie scientifique

L'application de la photographie aux différentes sciences et à la technologie a ouvert la voie aux explorations les plus diverses et engendré par là même des images d'une complète nouveauté d'esprit. C'est d'ailleurs là un des domaines où Baudelaire lui reconnaissait une utilité, mais où elle devait selon lui sagement se cantonner, sans concevoir que ces images fonctionnelles et échappant aux sollicitations de tout esthétisme, préfiguraient les recherches parmi les plus fondamentales de l'art du XXᵉ siècle.

Voici deux objets (263 et 186) qui peuvent apparaître à notre regard contemporain comme des sculptures ou des pièces décoratives de notre siècle. D'un côté, un fragment de bois de forme géométrique, animé de failles abstraites chargées par leur configuration de cette «sonorité» particulière à la ligne brisée qu'énonce Kandinsky, de l'autre une figure élégante, dont les gracieuses volutes sont le gage d'un équilibre harmonique. Ces images ne perdent nullement de leur séduction visuelle si l'on apprend que la première est le fruit d'une expérience sur la résistance des matériaux, et la seconde un projet d'objet volant conçu par Ponton d'Amecourt, au contraire, le déplacement qui s'opère n'en fait que mieux percevoir la modernité, l'analyse visuelle de l'objet, et notamment de l'objet industriel et de la machine apparaissant comme un leitmotiv de la photographie des avant-gardes des années 20.

En analysant dans un but scientifique des motifs inusités dans les arts du dessin, comme ce *crâne de castor* (199), la précision photographique et le dépouillement volontaire de l'image mettent en relief l'énigme des formes et leur caractère naturellement abstrait, préfigurant les recherches créatives de nombreux artistes du XXᵉ siècle opérant sur les motifs les plus divers de la nature, et notamment ceux de la botanique. Le déploiement que nécessite l'étude anatomique d'un animal (ici un fourmilier tamanoir, 200) et un cadrage serré suscitent une construction abstraite et le motif complexe se revêt pour un non-initié d'un contenu au dessin également abstrait.

Parmi les exemples nombreux d'abstractions obtenues par la photographie scientifique, figurent certaines expériences de J.-E. Marey, comme la chronophotographie géométrique (voir chapitre sur l'instantané), qui fait apparaître des lignes et des points en mouvement, une des seules recherches au XIXᵉ siècle dans le domaine de l'abstraction conçue véritablement en vue de la photographie, et qui connaîtra des résurgences dans le courant du XXᵉ siècle, ainsi que l'analyse des mouvements de l'air qui produit des images d'une étonnante inventivité visuelle (164).

Albert Londe se livra à des expérimentations d'une autre nature, et l'analyse décomposée d'éclairs de lampes au magnésium (150) qu'il présente en séquence, enregistre avec une extraordinaire plasticité ces motifs d'abstraction incandescents, que l'œil n'aurait pu fragmenter de la sorte. On ne sait à quelle expérience scientifique ou purement visuelle rapporter cette autre photographie de Londe (151), qui par un cadrage serré transcrit un fragment d'objet en aplat et ajouré. Image étrangement moderne, construite uniquement par les valeurs qui se trouvent simplifiées au maximum, et qui évoque par la répétition du motif décoratif certaines recherches de la photographie des années 30.

L'investigation par la photographie de nouvelles dimensions, celles de l'infiniment petit et de l'infiniment grand, dont l'exploration avait été rendue possible précédemment grâce à l'invention du microscope et du télescope, va permettre le développement à partir des années 1850 de nouvelles formes d'abstractions, dénuées de toute représentation figurative, parce que reproduisant des motifs qui n'appartiennent pas à nos schémas mentaux façonnés par la multitude de ceux existant dans le monde visible.

Placé devant une image abstraite comme celle de Duseigneur-Kléber (88), comment un amateur d'art des années 1850 méconnaissant l'existence de la photographie au microscope et donc son processus d'élaboration, aurait pu réagir puisque tous les critères traditionnels de jugement d'une œuvre d'art demeuraient impuissants pour lui en faire comprendre la nouvelle esthétique, alors qu'elle parle tellement bien à la sensibilité de notre époque qui a conçu des œuvres picturales et graphiques d'esprit semblable. Seul ce médiocre encadrement pouvait avoir une résonance pour notre amateur, alors qu'il nous apparaît aujourd'hui comme amenuisant la modernité de son contenu, mais son existence ne sert-elle pas aussi à montrer que dans l'esprit de l'auteur, l'on est en présence d'autre chose que d'une simple photographie scientifique, d'un nouvel univers visuel dans lequel ce décor traditionnel nous permet de pénétrer d'un pas plus certain.

La photographie microscopique, si elle est d'abord une affirmation de nature réaliste de l'infinité des contenus d'une dimension étrangère à notre perception, suscite notre imaginaire et provoque en nous des sensations diverses. L'enchevêtrement du trait dans la photographie de Duseigneur-Kléber peut être perçu comme un foisonnement dynamique traduisant un élan vital, ou au contraire amené à un sentiment d'oppression, parce que l'esprit semble ne pas pouvoir se libérer de cette construction cauchemardesque. Dans la planche de Bertsch (35), un des premiers initiateurs de la microphotographie, et dont les images évoquent diverses voies empruntées au XXe siècle par l'abstraction, lyrique ou géométrique, le motif se résout à une sorte de carrefour organique, un point de «tension» d'où jaillissent des lignes dynamiques de valeurs et de densités différentes.

La photographie astronomique, en analysant les formes répandues dans l'espace élabore des abstractions de différentes natures, qui désorientent souvent moins le spectateur parce qu'un ciel étoilé est du domaine de sa perception et la rotondité d'une planète de celui de ses connaissances. Mais ces images qui saisissent pour la première fois avec cette véracité propre à la photographie les éléments du cosmos, nous fascinent tout autant que les analyses de l'infiniment petit, parce que l'imaginaire qui prend corps résulte de l'incommensurabilité de ces espaces qu'elles semblent nous rendre plus proches mais qui n'en demeurent pas moins inaccessibles. *La Nuit étoilée* de Van Gogh, magnifique interprétation expressionniste des lumières de l'espace, traduit toute l'émotivité de l'artiste devant un tel spectacle, mais sa perception s'impose à nous, alors que certaines photographies de ciel des frères Henry, qui sont des constats scientifiques du même spectacle, nous frappent par une vision synthétique qui nous fait percevoir cet «équilibre dans l'infini géométrique» qu'évoque à ce sujet Kandinsky (106).

Certaines photographies astronomiques suggèrent d'autres formes d'abstraction, comme ces images de la surface du soleil, où seule une matière vibrante anime un plan uniforme dans la première (117), ponctué de taches dans la seconde, évoquant là encore certaines recherches de l'art contemporain. Parfois des formes de nature plus concrètes (ou que notre esprit essaie de ramener à des formes existant dans la nature accessibles à notre perception) surgissent dans une composition abstraite, comme ce sein féminin qui se promène dans l'espace (208), donnant à l'image un caractère surréaliste bien étranger à sa vocation scientifique. La photographie du Spectre de l'*Etoile du Cygne* (105) énonce encore un autre type d'abstraction, basée sur le rythme qu'aménage des lignes apparaissant à intervalles irréguliers, nous ramenant aux recherches contemporaines de l'art cynétique.

L'abstraction photographique du XIXᵉ siècle et la peinture abstraite

Wassily Kandinsky a commenté la signification et l'emploi des formes dans *Point-Ligne-Plan* (Editions du Bauhaus, 1926) en vue de parvenir à une meilleure compréhension des fondements de l'art abstrait, et à cet effet, il a eu plusieurs fois recours à la photographie. C'est d'abord l'examen des formes empruntées à la nature, avec la photographie astronomique (analyse de la «sonorité pleine et dévoilée» du point dans l'art abstrait), la botanique avec un photogramme de *Fleur de clématite* d'un photographe du Bauhaus, Katt Both (analyse de «complexes linéaires» avec formation de lignes autonomes), les lignes formées par un éclair dans le ciel. La microphotographie est représentée par un dessin de tissu conjonctif d'un rat (analyse d'une construction de caractère «souple» se composant de lignes libres mais solides et précises). L'exploration du monde industriel est représentée par une photographie de Moholy-Nagy montrant en contre-plongée une tour de radiodiffusion (analyse de construction en «lignes et points dans l'espace») qui évoque en plus schématisé certaines images de Rivière de la Tour Eiffel. On voit que tous ces exemples empruntés à la photographie des années 20 avaient leurs exacts correspondants dans celle du XIXe siècle et aboutissaient à de semblables abstractions.

Dans la pensée complexe de Kandinsky, la compréhension de la «résonance intérieure» de chaque forme n'était qu'un moyen pour aboutir à l'élaboration d'une composition picturale, dans laquelle la «variabilité de l'assemblage des formes» devait correspondre chez l'artiste à une «nécessité intérieure» d'ordre mystique (Du Spirituel dans l'Art..., 1910). De plus les couleurs, longuement étudiées par Kandinsky, suscitent d'abord un effet purement physique, mais devaient par la recherche de leur harmonie provoquer une «vibration de l'âme», et se trouvaient donc être indissociables de la forme.

L'art abstrait était donc pour Kandinsky tout autre chose qu'une interprétation même abstraite des divers éléments de la nature, mais une construction immatérielle de caractère spirituel, une entreprise entièrement libre, que la compréhension exacte des formes et des couleurs permettaient de rendre plus efficient.

On voit donc tout ce qui sépare l'abstraction dans la photographie du XIXe siècle de l'art abstrait conceptualisé par Kandinsky, dans les ambitions d'abord, dans les instruments ensuite (les valeurs seules interviennent ici et non la couleur), et dans les sources enfin, qui demeurent fondamentalement des structures matérielles préexistantes à l'image dans la photographie du XIXe. Les créations de l'art abstrait appartiennent au domaine de la fiction mentale, alors que le photographe du XIXe siècle, s'il pouvait librement construire son abstraction, était toujours tributaire du motif. Par ailleurs, l'enregistrement photographique, s'il dématérialise une forme (dans la microphotographie par exemple), en fait surgir de nouvelles, qui appartiennent toujours au monde du réel et qui apparaîtront donc dans leur propre matérialité, ce qui ne correspond nullement à la consistance que devait avoir la ligne dans le rôle que lui attribuait Kandinsky.

Les nouvelles abstractions du XXe siècle

Les divers bouleversements qui marquèrent la peinture au début du XXe siècle et l'évolution des mentalités consécutive à la Première Guerre mondiale, furent à l'origine de ruptures salutaires dans le domaine de la photographie, et les premières manifestations de cette nouvelle voie étaient le fait d'artistes liés à la Photo-Sécession qui avaient si ardemment défendu la photographie d'esprit symboliste. Après les paysages abstraits d'un George Seeley tributaires des sinuosités de l'Art Nouveau, une nouvelle formulation de la géométrisation et de l'abstraction voit le jour, en tournant le dos à l'esthétique du Pictorialisme, avec A.-L. Coburn (67) et Paul Strand autour des années 1915 (237), qui allait culminer en 1917 dans les derniers numéros de la revue *Camera Work*. L'immédiat après-guerre voit éclore ou se développer en Europe toute une série de mouvements d'avant-garde qui font de l'abstraction un de leur crédo esthétique. Et nous avons vu plus haut que si cette nouvelle abstraction emprunte encore largement aux motifs existants, elle innove aussi en conquérant la possibilité d'enregistrer des aménagements structurels conçus à sa seule fin et donc d'investir le domaine de la fiction. L'évolution de l'abstraction depuis le XIXe siècle jusqu'à nos jours démontre à la fois les extraordinaires potentialités de renouvellement de ce mode d'expression formel et aussi l'écueil auquel il peut aboutir lorsqu'il devient un simple exercice de style, un formalisme académique privé de tout contenu.

Mais au XIXe siècle, la géométrisation et l'abstraction ont au contraire cette saveur et cette fraîcheur des nouvelles expérimentations visuelles, et s'il s'agit là d'une approche tout à fait consciente du motif, répondant à une destination plus fonctionnelle que d'ordre plastique, on ne peut pas parler à travers les exemples existant de l'élaboration d'un style qu'il reviendra aux avant-gardes du XXe siècle de mettre en œuvre.

Tout comme certains procédés photographiques conçus au XIXe siècle ou certains accidents de la technique remarqués au même moment, ces innovations visuelles de l'abstraction n'eurent pas d'influence directe sur les avant-gardes du XXe siècle qui eurent tout à réinventer à travers leur propre expérience créative. Et ces images, qui n'avaient bien souvent aucune prétention à l'art, qui furent longtemps oubliées et qui ne sont mentionnées souvent dans les histoires de la photographie que pour en expliquer l'évolution des techniques, nous apparaissent aujourd'hui comme parmi les plus significatives de la modernité du langage photographique au XIXe siècle.

Philippe Néagu

115
Ch. Hugo
Le rocher des proscrits (détail) avec Auguste Vacquerie
1853

30
E. Baldus
«Le moine»
1859

33
W. Bell
Le Grand Canyon, Colorado
1872

75
E. Cuvelier
Fontainebleau, sables de Macherins
1863

236
P. Strand
Sans titre
1915

102
L. Gimpel
Paysage pris d'un ballon
vers 1900

275
Anonyme français
Paysage vue d'avion, guerre de 1914-18
1917

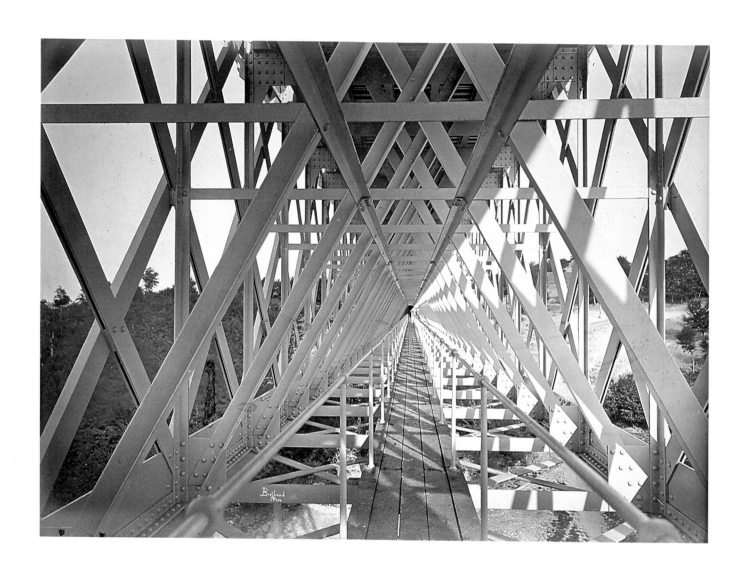

37
Berthaut
Viaduc du Bellon
1873-1876

42
Bisson Frères
Ponts sur le Tarn
vers 1856

41
Bisson Frères
Entrée du Pont sur le Tarn
vers 1856

263
Anonyme français
Géologie expérimentale, réseau de cassures
1878

186
F. Nadar
Hélicoptère de Ponton d'Amecourt
vers 1860

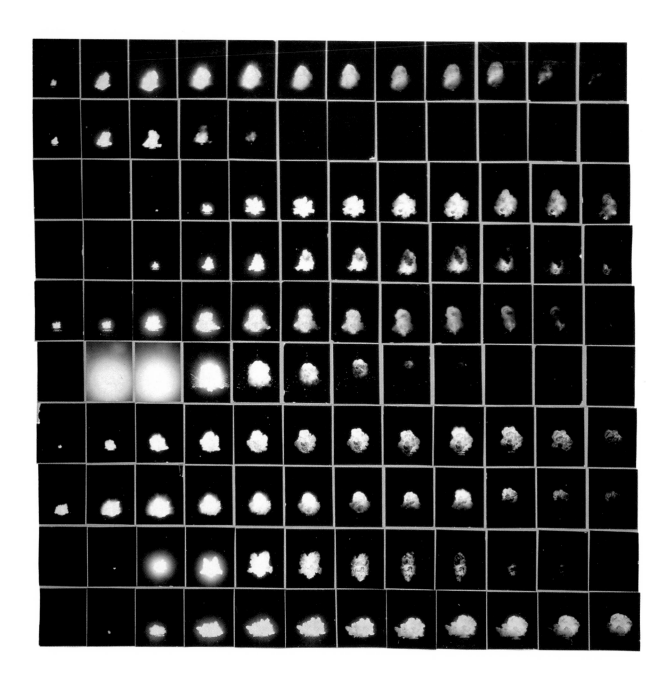

150
A. Londe
Études de lumière (série chronophotographique)
1905

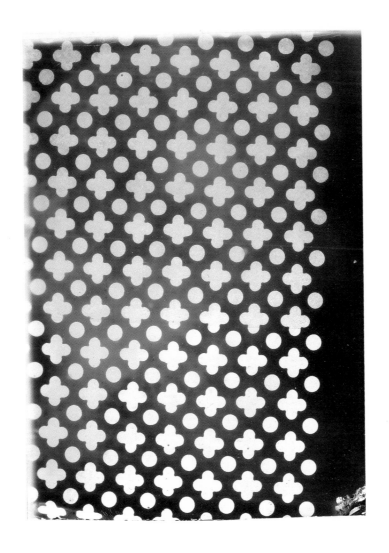

151
A. Londe
Étude de grillage
vers 1900

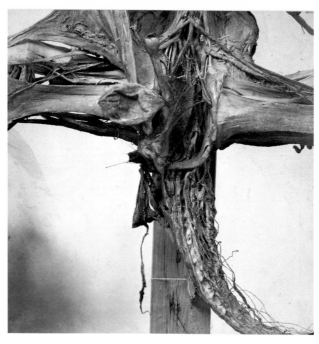

199
P.-J. Potteau
Crâne de castor canadensis
1868

200
P.-J. Potteau
Dissection d'un fourmilier tamanoir
1868

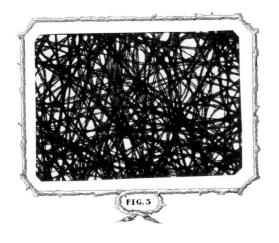

35
A.-A. Bertsch
Lépidoptère, Trachée de chenille processionnaire
1853

88
E. Duseigneur-Kléber
Vestes de cocon double
1855

36
A.-A. Bertsch
Vue de la lune
vers 1856

106
Frères Henry
Vue du ciel prise de l'Observatoire de Paris
1896

235
P. Strand
Sans titre
1916

Liste des œuvres exposées

Abréviations :

D.L.   Dépôt légal
ill.   illustration
Pl.   Planche
Repr. p. Reproduit page

Les négatifs pour lesquels aucune précision technique
ne figure dans la liste sont sur verre
au gélatino-bromure d'argent

Les dimensions sont données en centimètres
H. hauteur; L. largeur

1

4

6

7

1

Aguado de Las Marismas, Vicomte Onésipe-Gonsalve (1831-1893)

Tête de femme de profil
vers 1862
Épreuve sur papier salé à partir d'un négatif verre au collodion
H. 31,2; L. 24,8
Paris, Collection Famille Braunschweig

2

Annan, Thomas (1829-1887)

Ruelle à Glasgow («Close n° 83, High Street»)
1868
Planche de l'album *Glasgow Improvement Act 1866 - Photographs of streets, closes, taken by Thomas Annan, 1868-1871.* (Reportage sur les vieux quartiers pauvres de la ville destinés à être démolis)
Épreuve sur papier albuminé à partir d'un négatif verre au collodion
H. 28,5; L. 23,3
Paris, Musée d'Orsay
Repr. p. 76

3

Arosa, Gustave, éditeur

Vaisselle et vannerie sur un pavage
D.L. 1880
Phototypie d'après un négatif papier
H. 25; L. 33,7
Paris, Bibliothèque Nationale, Département des Estampes et de la Photographie
Repr. p. 179

4

Atget, Eugène (1857-1927)

Porte d'Asnières - Chiffonnier du Passage Trébert
1913
Épreuve sur papier albuminé
H. 17,9; L. 22,1
Paris, Musée Carnavalet

5

Atget, Eugène (1857-1927)
«Voiture Bois de Boulogne» de la série La voiture à Paris
1910
Épreuve sur papier albuminé
H. 22; L. 17,8
Paris, Musée Carnavalet
Repr. p. 114

6

Atget, Eugène (1857-1927)

«St-Cloud», escalier du parc
vers 1904
Épreuve sur papier albuminé
H. 17,4; L. 21,4
Paris, Bibliothèque Nationale, Département des Estampes et de la Photographie.

7

Atget, Eugène (1857-1927)

Musée de Cluny - Sculptures du jardin
1907
Épreuve sur papier albuminé
H. 21,9; L. 18,2
Paris, Musée Carnavalet

8

Atget, Eugène (1857-1927)

Port de Bercy - La Gare du P.L.M. vue des fortifications
vers 1908
Épreuve sur papier albuminé
H. 18,1; L. 21,5
Paris, Musée Carnavalet
Repr. p. 105

9

Atget, Eugène (1857-1927)

«Au Tambour, 63, quai de la Tournelle»
1908
Épreuve sur papier albuminé
H. 21,1; L. 16,8
Paris, Bibliothèque Nationale, Département des Estampes et de la Photographie
Repr. p. 90

10

Atget, Eugène (1857-1927)

Port du Louvre, 1ᵉʳ Arrondissement
vers 1908
Épreuve sur papier albuminé
H. 22,1; L. 18,1
Paris, Musée Carnavalet
Repr. p. 168

11
Atget, Eugène (1857-1927)

*«Boulevard de Strasbourg», Boutique de
corsets*
1912
Épreuve sur papier albuminé
H. 22,5; L. 17
Hambourg, Collection Werner
Bokelberg
Repr. p. 199

12
Atget, Eugène (1857-1927)

*«6 rue de Jarente IVᵉ Arrondissement,
vieille maison»*
1916 à 1919 ?
Épreuve sur papier albuminé
H. 22; L. 18
Paris, Musée Carnavalet
Repr. p. 77

13
Atget, Eugène (1857-1927)

«Pommier» (détail)
1922-23
Épreuve sur papier albuminé
H. 24; L. 18
Ancienne collection Bérénice Abbott-
Julien Lévy, acquis avec la
participation de Shirley C. Burden,
New York, Museum of Modern Art
Repr. p. 174

14
Atget, Eugène (1857-1927)

«St-Cloud», escalier en pierre du parc
1922
Épreuve sur papier albuminé
H. 21,9; L. 18,3
Paris, Bibliothèque Nationale,
Département des Estampes et de la
Photographie

15
Atget, Eugène (1857-1927)

«St-Cloud», grille d'entrée
1924
Épreuve sur papier albuminé mat
H. 21,9; L. 17
Paris, Bibliothèque Nationale,
Département des Estampes et de la
Photographie

14

15

18

19

16
Atget, Eugène (1857-1927)

*«Foire du Trône», La Baraque du nain
et du géant*
1925
Épreuve argentique à la gélatine tirée
par Bérénice Abbott
H. 17,1; L. 22
Ancienne collection Bérénice Abbott -
Julien Levy, acquis avec la
participation de Shirley C. Burden, New
York, Museum of Modern Art
Repr. p. 204

17
Atget, Eugène (1857-1927)

«Foire du Trône», Manège
1925
Épreuve sur papier albuminé
H. 17,4; L. 22,7
ancienne collection Man Ray
Rochester, International Museum of
Photography at George Eastman House
Repr. p. 113

18
Atget, Eugène (1857-1927)

«Avenue des Gobelins»
vers 1925
Épreuve sur papier albuminé
H. 23; L. 17,9
Ottawa, Musée des Beaux-Arts du
Canada

19
Atkins, Anna

Page de titre de l'album *Foreign Ferns:
«British and Foreign Flowering Plants
and Ferns»* (types de Fougères et de
plantes des Iles Britaniques et de
l'Étranger). Offert par Anna Atkins à
Anne Dixon en 1854
1851-1854
Dessin photogénique, épreuve au
cyanotype
H. 34,5; L. 23,9
New York, Collection Hans P. Kraus Jr.

20
Atkins, Anna

«*Lastrea spinulosa*», planche du même
album que n° 19
1851-1854
Dessin photogénique, épreuve au
cyanotype
H. 34,2; L. 23,7
New York, Collection Hans P. Kraus Jr.

21
Atkins, Anna

«*Lycopodium... (Ceylon)*»
1851-1854
Planche du même album que n° 19
Dessin photogénique au cyanotype
H. 34,8; L. 24,7
New York, Collection Hans P. Kraus Jr.
Repr. p. 24

22
Aubert, François (1829-1906)

«*La chemise de Maximilien, Empereur
du Mexique, après son exécution*»
1867
Épreuve sur papier albuminé à partir
d'un négatif verre au collodion
H. 22; L. 16
Brignoles, Collection Serge Kakou
Repr. p. 191

23
Aubry, Charles

«*Berce à longue feuille*»
D.L. 1864
Épreuve sur papier albuminé à partir
d'un négatif verre au collodion
H. 34,9; L. 26,3
Paris, Bibliothèque Nationale,
Département des Estampes et de la
Photographie
Repr. p. 158

24
Baldus, Édouard-Denis
(1813 - vers 1890)

Théâtre Romain d'Arles, «*Mission
héliographique*»
1851
Épreuve sur papier salé à partir d'un
négatif papier
H. 21,3; L. 25,9
Paris, Musée d'Orsay, Dépôt des
Archives de la Bibliothèque de la
Manufacture de Sèvres
Repr. p. 104

25
Baldus, Édouard-Denis
(1813 - vers 1890)

*Portail occidental de la Cathédrale de
Chartres*
vers 1852
Épreuve sur papier salé à partir d'un
négatif papier
H. 44,6; L. 34,7
Paris, Musée d'Orsay, Dépôt des
Archives de la Bibliothèque de la
Manufacture de Sèvres

26
Baldus, Édouard-Denis
(1813 - vers 1890)

La Gare d'Amiens
vers 1855
Planche d'essai pour l'*Album des
Chemins de fer du nord de Paris à
Boulogne* commandée par
M. de Rothschild
Épreuve sur papier salé à partir d'un
négatif papier
H. 32; L. 44
Paris, Musée d'Orsay, don de la Société
des Amis d'Orsay

27
Baldus, Édouard-Denis
(1813 - vers 1890)

Inondations de Lyon
Négatif papier faisant partie du
reportage des «Inondations du Rhône»
1856
H. 30,2; L. 46,6
Paris, Musée d'Orsay, Dépôt des
Archives Photographiques du
Patrimoine
Repr. p. 193

28
Baldus, Édouard-Denis
(1813 - vers 1890)

Inondations de Lyon
1856-57
Épreuve sur papier salé à partir d'un
négatif papier
H. 33,2; L. 44,4
Paris, Musée d'Orsay, Dépôt des
Archives de la Bibliothèque de la
Manufacture de Sèvres

29 a-c
Baldus, Édouard-Denis
(1813 - vers 1890)

Trois négatifs formant un panorama
pour le reportage des «*Inondations du
Rhône à Avignon*», Villeneuve-les-
Avignon
1856
3 négatifs sur papier
H. 34,5; L. 44,6 chaque
Paris, Musée d'Orsay, Dépôt des
Archives Photographiques du
Patrimoine
a et c repr. p. 30-31

20

25

26

28

34

30
Baldus, Édouard-Denis
(1813 - vers 1890)

«Le Moine», planche 62 de *l'album de Paris à Lyon et à la Méditerranée*
1859
Épreuve sur papier albuminé à partir d'un négatif verre au collodion
H. 27; L. 35
Paris, École Nationale des Ponts et Chaussées
Repr. p. 221

31
Attribué à Baldus, Édouard-Denis
(1813 - vers 1890)

Façade d'un hôtel parisien
vers 1855
Épreuve sur papier albuminé à partir d'un négatif verre ou collodion
H. 44; L. 33,3
Paris, Collection particulière
Repr. p. 115

32
Bayard, Hippolyte (1801-1887)

Intérieur d'atelier
vers 1845
Négatif papier
H. 23,6; L. 16,8
Paris, Société Française de Photographie
Repr. p. 170

33
Bell, William

«Looking South into the Grand Canon, Colorado River - Sheavwitz Crossing»
(Le Grand Canyon, vue vers le sud, le fleuve Colorado à la jonction de Sheavwitz)
1872
Planche 9 de la série *Explorations and Surveys West of The 100th Meridian*, publiée en 1872 par le «War Department U.S. Army Corps of Engineers»
Épreuve sur papier albuminé à partir d'un négatif verre au collodion
H. 27,5; L. 20,3
Paris, Musée d'Orsay
Repr. p. 222

34
Bertsch, Auguste-Adolphe (? - 1871)

«Stygmates de Diptère»
1853
Photographie faite au microscope
Épreuve sur papier salé
H. 15,5; L. 15,2
Paris, Bibliothèque du Muséum d'Histoire Naturelle

35
Bertsch, Auguste-Adolphe (? - 1871)

«Lépidoptère - trachée de chenille processionnaire»
1853
Photographie faite au microscope
Épreuve sur papier albuminé
H. 15,7; L. 15,7
Paris, Bibliothèque du Muséum d'Histoire Naturelle
Repr. p. 233

36
Berstch, Auguste-Adolphe (? - 1871)

Vue de la lune
vers 1856
Épreuve sur papier salé à partir d'un négatif verre au collodion
H. 17,3; L. 18,3
Paris, Société Française de Photographie
Repr. p. 234

37
Berthaut

«Viaduc du Bellon»
Planche de l'*Album de la ligne Comentry-Gannat*,
1873-1876
Épreuve sur papier albuminé à partir d'un négatif verre au collodion
H. 26,5; L. 37
Paris, École Nationale des Ponts et Chaussées
Repr. p. 226

38
Biewend, Hermann Carl Eduard
(1814-1888)

«Moi-même avec la petite Louise dans le jardin du Docteur Pfund, à Hambourg»
juillet 1855
Daguerréotype
H. 10,1; L. 7,4
Ottawa, Musée des Beaux-Arts du Canada, don de Mme Phyllis Lambert
Repr. p. 134

43

44

45

39
Bilordeaux, Adolphe

Main drapée
D.L. 1864
Épreuve sur papier albuminé à partir
d'un négatif verre au collodion
Planche de la série *Écoles Municipales,*
Études de Dessins d'après l'Antique et les
Grands Maîtres
H. 30,7; L. 23,8
Paris, Bibliothèque Nationale,
Département des Estampes et de la
Photographie
Repr. p. 159

40
Bisson, Louis-Auguste (1814-1876)
Bisson, Auguste-Rosalie (1826-1900)

La Cathédrale de Rouen
vers 1855
Épreuve sur papier albuminé à partir
d'un négatif verre au collodion
H. 48,5; L. 65,3
Paris, Musée d'Orsay
Repr. p. 53

41
Bisson, Louis-Auguste (1814-1876)
Bisson, Auguste-Rosalie (1826-1900)

Entrée du pont de chemin de fer sur le
Tarn
vers 1856
Épreuve sur papier albuminé à partir
d'un négatif verre au collodion
H. 29,9; L. 44,4
Paris, Bibliothèque Nationale,
Département des Estampes et de la
Photographie
Repr. p. 227

42
Bisson, Louis-Auguste (1814-1876)
Bisson, Auguste-Rosalie (1826-1900)

«Pont ferroviaire et pont-canal sur le
Tarn près de Moissac»
vers 1856
Épreuve sur papier albuminé à partir
d'un négatif verre au collodion
H. 33,3; L. 45,3
Paris, Bibliothèque Nationale,
Département des Estampes et de la
Photographie
Repr. p. 227

43
Bisson, Louis-Auguste (1814-1876)
Bisson, Auguste-Rosalie (1826-1900)

Tremblement de terre dans le Valais -
Maison effondrée à Viège
D.L. 1856
Épreuve sur papier albuminé à partir
d'un négatif verre au collodion
H. 43,9; L. 37,5
Paris, Bibliothèque Nationale,
Département des Estampes et de la
Photographie

44
Bisson, Louis-Auguste (1814-1876)
Bisson, Auguste-Rosalie (1826-1900)

Pise, pieds droits de la porte du
Baptistère
D.L. 1858
64e/65e livraisons, planche 192 de la
série *Reproductions photographiques*
des plus beaux types d'archictecture et
de sculpture d'après les monuments les
plus remarquables de l'Antiquité, du
Moyen Age et de la Renaissance
Épreuve sur papier albuminé à partir
d'un négatif verre au collodion
H. 46,1; L. 36,2
Paris, Bibliothèque Nationale,
Département des Estampes et de la
Photographie

45
Bisson, Louis-Auguste (1814-1876)
Bisson, Auguste-Rosalie (1826-1900)

«Rouen - Église St-Maclou»
D.L. 1858
52e livraison, planche 152 de la série
précédente
Épreuve sur papier albuminé à partir
d'un négatif verre au collodion
H. 43,6; L. 31,3
Paris, Bibliothèque Nationale,
Département des Estampes et de la
Photographie

46
Bisson, Louis-Auguste (1814-1876)
Bisson, Auguste-Rosalie (1826-1900)

«Col du Géant dans les Alpes»
D.L. 1860
Épreuve sur papier albuminé à partir
d'un négatif verre au collodion
H. 22,2; L. 38,8
Paris, Bibliothèque Nationale,
Département des Estampes et de la
Photographie
Repr. p. 64

47
Boitouzet, J.

Écolier
vers 1855
Épreuve sur papier salé à partir d'un
négatif verre au collodion
H. 18; L. 14,4
Paris, Société Française de
Photographie
Repr. p. 78

48
Bonnard, Pierre (1867-1947)

Au Grand-Lemps, Chien marchant
vers 1899
Tirage moderne agrandi à partir du
négatif original gélatino-argentique
H. 13; L. 18
Paris, Musée d'Orsay, don sous réserve
d'usufruit de M. Antoine Terrasse
Repr. p. 139

49
Bonnard, Pierre (1867-1947)

*Montval - Marthe de profil enlevant sa
chemise de nuit*
1900-1901
Tirage moderne agrandi à partir du
négatif original gélatino-argentique
H. 13; L. 18
Paris, Musée d'Orsay, don sous réserve
d'usufruit de M. Antoine Terrasse
Repr. p. 200

50
Bonnard, Pierre (1867-1947)

*La baignade au Grand-Lemps. Vivette
(au premier plan), Robert (à l'arrière-*
plan) et deux autres enfants
vers 1903
Tirage moderne agrandi à partir du
négatif original gélatino-argentique
H. 13; L. 18
Paris, Musée d'Orsay, don sous réserve
d'usufruit de M. Antoine Terrasse
Repr. p. 139

51
Bonnard, Pierre (1867-1947)

Marthe au tub
vers 1908
Tirage moderne agrandi d'après le
négatif original gélatino-argentique
H. 13; L. 18
Paris, Musée d'Orsay, don sous réserve
d'usufruit de M. Antoine Terrasse
Repr. p. 45

52
Brady, Mathew B. (1823-1896)

«Souvenirs de Lilliputiens»
1860
Photomontage de neuf tirages de cartes
de visite montées sur carton noir,
servant d'affiche publicitaire
H. 30; L. 22
New York, Collection de la Gilman
Paper Company

53
Bragaglia, Arturo (1893-1962)

Le violoncelliste
1913
Épreuve sur papier argentique
H. 12; L. 14
Hambourg, Collection Werner
Bokelberg
Repr. p. 132

54
Cameron, Julia Margaret (1815-1879)

«Light and Love» (Lumière et Amour)
Freshwater, juin 1865
Verso de la pl. 11 de l'«Overstone
Album»
Épreuve sur papier albuminé à partir
d'un négatif verre au collodion
H. 25,3; L. 21,4
Malibu, Musée J. Paul Getty
Repr. p. 118

55
Cameron, Julia Margaret (1815-1879)

«Hosanna»
Freshwater, mai 1865
Verso de la pl. 62 de l'«Overstone
Album»
Épreuve sur papier albuminé à partir
d'un négatif verre au collodion
H. 28,2; L. 22,9
Malibu, Musée J. Paul Getty

56
Cameron, Julia Margaret (1815-1879)

Figure de composition
(*«The Mountain Nymph, Sweet Liberty»*)
juin 1866
Épreuve sur papier albuminé à partir
d'un négatif verre au collodion
H. 36,5; L. 28,6
Bath, Royal Photographic Society, don
d'Alvin Langdon Coburn

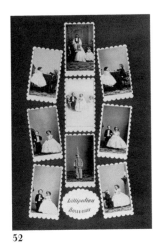
52

55

56

60

61

63

57
Cameron, Julia Margaret (1815-1879)

«Julia Jackson», de profil
1867
Épreuve sur papier albuminé à partir
d'un négatif verre au collodion
H. 34,2; L. 26,2 ovale
Paris, Maison de Victor Hugo, don de
l'artiste au poète
Repr. p. 85

58
Caneva, Giacomo

Le Vésuve
1850-55
Épreuve sur papier salé à partir d'un
négatif papier
H. 13,1 ; L. 27,7
New York, Collection de la Gilman
Paper Company
Repr. p. 64

59
Capel-Cure, Alfred (1826-1896)

«American Creeper, Blake House»
(Tonnelle, Blake House)
1860
Épreuve sur papier albuminé à partir
d'un négatif verre au collodion
H. 20; L. 15
New York, Metropolitan Museum of Art,
Don Paul F. Walter
Repr. p. 178

60
Charnay, Claude-Joseph-Désiré
(1828-1915)

Mitla, Intérieur de la Maison du Curé
(Mexique)
vers 1860
Épreuve sur papier albuminé à partir
d'un négatif verre au collodion
H. 28,3; L. 40,8
Paris, Bibliothèque Nationale,
Département des Estampes et de la
Photographie, don Léonce Angrand

61
Charnay, Claude-Joseph-Désiré
(1828-1915)

Types Malgaches
1863
Planche 26 de l'album
«Mission de 1863 - Album de
Madagascar»
Épreuve sur papier albuminé à partir
d'un négatif verre au collodion
H. 18,2; L. 16,4
Paris, Collection Harry Lunn

62
Charnay, Claude-Joseph-Désiré
(1828-1915)

«Marou-Malgache-Marou»
1863
Planche 30 de l'album précédent
Épreuve sur papier albuminé à partir
d'un négatif verre au collodion
H. 17,6; L. 13,3
Paris, Collection Harry Lunn
Repr. p. 88

63
Chauffourier, Gustavo Eugenio
(? - 1907)

«Scala davanti la Chiesa de San
Isidoro» (Escalier de la façade de San
Isidoro)
vers 1870
Épreuve sur papier albuminé à partir
d'un négatif verre au collodion
H. 18,8; L. 25,5
Paris, Collection particulière

64
Chauffourier, Gustavo Eugenio
(? -1907)

Départ d'escalier d'une villa italienne
vers 1870
Épreuve sur papier albuminé à partir
d'un négatif verre au collodion
H. 22; L. 17
Montréal, Centre Canadien
d'Architecture
Repr. p. 177

65
Attribué à Victor Chevalier

Vue d'une aile et de la cour intérieure de
l'Hôtel d'Uzès, Paris
vers 1848
Daguerréotype
H. 20,5; L. 15
Montréal, Collection du Centre
Canadien d'Architecture
Repr. p. 49

65 bis
Dr Georges Chicotot

Pied dans une chaussure
1897-98
Plaque radiographique et épreuve
moderne de Patrice Schmidt
Paris, Musée de l'Assistance Publique,
Don de Mme Renaudin
Repr. p. 207

66
Coburn, Alvin Langdon (1882-1966)

«Hyde Park Corner»
1905
Pl. du Portfolio *London*
Héliogravure sur papier Japon
H. 16; L. 10,5
Rochester, International Museum of
Photography at George Eastman House,
don de Alvin Langdon Coburn
Repr. p. 54

67
Coburn, Alvin Langdon (1882-1966)

«The Octopus» (La pieuvre)
1912
Épreuve moderne sur papier platine à
partir du négatif original
H. 42,0; L. 31,8
Rochester, International Museum of
Photography et George Eastman House,
don d'Alvin Langdon Coburn
Repr. p. 107

68
Collard, Hippolyte Auguste
(1811-après 1877)

Paris, Hôtel de Ville incendié
D.L. 1872
Épreuve sur papier albuminé à partir
d'un négatif verre au collodion
H. 21,3; L. 31,7
Paris, Bibliothèque Nationale,
Département des Estampes et de la
Photographie

69
Collard, Hippolyte Auguste
(1811-après 1877)

*Paris, perspective du Louvre sur la
Seine*
D.L. 1876
Épreuve sur papier albuminé à partir
d'un négatif verre au collodion
H. 34,1; L. 43,1
Paris, Bibliothèque Nationale,
Département des Estampes et de la
Photographie

70
Colliau, Eugène

«Le St-Jacques» en mer
D.L. 1861
Épreuve sur papier albuminé à partir
d'un négatif verre au collodion
H. 17; L. 24,2 ovale
Paris, Bibliothèque Nationale,
Département des Estampes et de la
Photographie
Repr. p. 142

71
Colliau, Eugène

Une cour
D.L. 1862
Épreuve sur papier albuminé à partir
d'un négatif verre au collodion
H. 18,8; L. 20,9
Paris, Bibliothèque Nationale,
Département des Estampes et de la
Photographie

72
Costerhuis

«Pont de Crèvecœur en Hollande»
1871
Épreuve sur papier albuminé à partir
d'un négatif verre au collodion
H. 25; L. 34,5
Paris, École Nationale des Ponts et
Chaussées
Repr. p. 105

73
Cuvelier, Eugène (? - 1900)

Arbre
vers 1860
Épreuve sur papier salé à partir d'un
négatif papier
H. 28; L. 21,8
Paris, Bibliothèque Nationale,
Département des Estampes et de la
Photographie
Repr. p. 162

68

69

71

74

77

78

74
Cuvelier, Eugène (? - 1900)

Rue de Barbizon
vers 1860
Épreuve sur papier albuminé à partir
d'un négatif papier
H. 25,7; L. 19,5
Paris, Bibliothèque Nationale,
Département des Estampes et de la
Photographie

75
Cuvelier, Eugène (? -1900)

Fontainebleau, «Sables de Macherins»
1863
Épreuve sur papier salé à partir d'un
négatif papier
H. 19,8; L. 25,9
Paris, Bibliothèque Nationale,
Département des Estampes et de la
Photographie
Repr. p. 223

76
Degas, Edgar (1834-1917)

Danseuse ajustant son épaulette droite
1895
Négatif sur verre au collodion
H. 18; L. 13
Paris, Bibliothèque Nationale,
Département des Estampes et de la
Photographie
Don de M. Nepveu-Degas
Repr. p. 63

77
Degas, Edgar (1834-1917)

Degas et Zoé, sa gouvernante
1895
Épreuve sur papier argentique
H. 19,2; L. 25,4
Paris, Bibliothèque Nationale,
Département des Estampes et de la
Photographie
Don de M. Nepveu-Degas

78
Delmaet, Hyacinthe César
(1828-1862)
Durandelle, Louis-Émile (1839-1917)

*Construction d'un escalier de l'Opéra de
Paris*
vers 1870
Épreuve sur papier albuminé à partir
d'un négatif verre au collodion
H. 26,3; L. 37,7
Paris, Bibliothèque de l'École Nationale
Supérieure des Beaux-Arts

79
Delmaet, Hyacinthe César (1828-
1862)
Durandelle, Louis-Émile (1839-1917)

Construction du toit de l'Opéra de Paris
vers 1870
Épreuve sur papier albuminé à partir
d'un négatif verre au collodion
H. 27,6; L. 38,1
Paris, Bibliothèque de l'École Nationale
Supérieure des Beaux-Arts

80
Devéria, Théodule (1831-1871)
*«Edfou, façade de la grande salle du
temple»*
1859
Épreuve sur papier salé albuminisé à
partir d'un négatif papier
H. 21; L. 24,2
Paris, Musée d'Orsay, affectation du
Département des antiquités
égyptiennes du Musée du Louvre, 1986

81
Devéria, Théodule (1831-1871)

Forêt
avant 1859 ?
Négatif papier
H. 22,3; L. 29
Paris, Musée d'Orsay
Repr. p. 27

82
Diamond, Hugh (1809-1886)

*Portrait de démente du Surrey County
Asylum* (dont le Dr. Diamond assurait
la direction de la section féminine
depuis 1848)
1853 ?
Épreuve sur papier albuminé à partir
d'un négatif verre au collodion
H. 18,1; L. 13,6
New York, Collection de la Gilman
Paper Company
Repr. p. 197

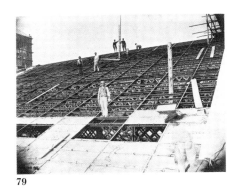

79

80

83

83
Dixon, Henry

Lion en cage
vers 1879
Épreuve sur papier albuminé à partir
d'un négatif verre au collodion
H. 25,4; L. 34,4
Paris, Bibliothèque Nationale,
Département des Estampes et de la
Photographie

84 a-b
Ducos du Hauron, Louis (1837-1920)

«Autoportraits en anamorphoses»
1889
Deux tirages modernes à partir de
deux diapositives originales de
H. 6; L. 6
Paris, Société Française de
Photographie
Repr. p. 206

85
Durandelle, Louis-Émile (1839-1917)

«Colonne du nouvel Opéra de Paris»
vers 1872
Épreuve sur papier albuminé à partir
d'un négatif verre au collodion
H. 21,3; L. 25,7
Paris, Musée d'Orsay
Repr. p. 163

86
Durandelle, Louis-Émile (1839-1917)

*Paris, théâtre du Vaudeville, 14 motifs
architecturaux*
vers 1867
Épreuve sur papier albuminé à partir
d'un négatif verre au collodion
H. 37,7; L. 27,2
Paris, Bibliothèque Nationale,
Département des Estampes et de la
Photographie, don de Paul Blondel
Repr. p. 171

87
Durandelle, Louis-Émile (1839-1917)

*Paris, la construction de l'Opéra
(chantier)*
vers 1870
Épreuve sur papier albuminé à partir
d'un négatif verre au collodion
H. 27,5; L. 39,5
Paris, Bibliothèque Nationale,
Département des Estampes et de la
Photographie
Repr. p. 74

88
Duseigneur-Kléber, Édouard

«Vestes de cocon double»
Planche 3 de l'ouvrage illustré,
Physiologie du Cocon et du fil de soie,
Valence, 1855
Vignette photographique collée en page
hors-texte, exécutée par l'auteur
Épreuve sur papier salé à partir d'un
négatif verre au collodion
H. 4,8; L. 7
Paris, Musée d'Orsay
Repr. p. 233

89
Duseigneur-Kléber, Édouard

«Duvet libre»
Fig. 45 du même album que précédent
Épreuve sur papier salé
H. 7; L. 4,8
Paris, Musée d'Orsay

84b

89

90

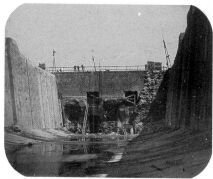
93

97

99d

90
Emonds, P.

Paris, Pont de l'Estacade
vers 1870
Épreuve sur papier albuminé à partir
d'un négatif verre au collodion
H. 17,9; L. 28
Paris, Musée Carnavalet

91
Evans, Frederick Henry (1852-1943)

*«Vue depuis la Tapestry Room,
Kelmscott Manor, Oxfordshire»,
Demeure de Williams Morris*
1896
Épreuve sur papier au platine
H. 18,6; L. 9,8
Montréal, Collection du Centre
Canadien d'Architecture
Repr. p. 91

92
Evans, Frederick Henry (1853-1943)

*«In Deerlap Woods - a haunt of George
Meredith»* (A Deerlap Woods, lieu de
chasse de George Meredith)
vers 1909
Épreuve sur papier au platine
H. 14,7; L. 11
New York, Metropolitan Museum of Art,
Collection Alfred Stieglitz
Repr. p. 81

93
Famin, C.

En forêt de Fontainebleau
Vue n° 15
D.L. 1874
Épreuve sur papier albuminé à partir
d'un négatif verre au collodion
H. 25,1; L. 19,5
Paris, Bibliothèque Nationale,
Département des Estampes et de la
Photographie

94
Famin, C.

Les trois fûts en forêt de Fontainebleau
Vue n° 45
D.L. 1874
Épreuve sur papier albuminé à partir
d'un négatif verre au collodion
H. 24,8; L. 18,4
Paris, Bibliothèque Nationale,
Département des Estampes et de la
Photographie

95
Fenton, Roger (1819-1869)

Mur de Londres couvert d'affiches,
planche de l'album constitué par le
photographe Paul Jeuffrain
vers 1850-52
Épreuve sur papier salé à partir d'un
négatif papier
H. 15; L. 22
Paris, Société Française de
Photographie
Repr. p. 199

96
Fenton, Roger (1819-1869)

«Spoils of wood and streams»
(Gibier de forêt et de rivière)
1858-59
Épreuve sur papier albuminé à partir
d'un négatif verre au collodion
H. 34,2; L. 42,7
Bath, Royal Photographic Society, don
des descendants de Roger Fenton
Repr. p. 198

97
Furne Fils

Bassin du Port de Cherbourg
Planche 5 de la série *Vue de Cherbourg
et des environs*
D.L. 1858
Épreuve sur papier albuminé à partir
d'un négatif verre au collodion
H. 19,8; L. 24
Paris, Bibliothèque Nationale,
Département des Estampes et de la
Photographie

98
Gardner, Alexander (1821-1882)

*The President Abraham Lincoln and
General McClellan on the Battlefield of
Antietam*
1862
(Le Président Abraham Lincoln et le
Général McClellan sur le champ de
bataille d'Antietam)
Épreuve sur papier albuminé à partir
d'un négatif verre au collodion
H. 49,5; L. 40
Ancienne collection de la Library of
congress, Washington, Don de Carl
Sandburg et Edward Steichen, New
York, Museum of Modern Art
Repr. p. 190

101

101c

104

105

99 a à d
Gardner, Alexander (1821-1882)

The Wilderness Battlefield
1864
(Champ de bataille en forêt)
4 épreuves solarisées sur papier
albuminé à partir de négatifs verres au
collodion
H. 12,3; L. 11,2 chaque
New York, Collection de la Gilman
Paper Company
a, b, d, repr. p. 62

100
Monogramme G.B.

Grenade, Porte de l'Alhambra
vers 1857
Épreuve sur papier albuminé à partir
d'un négatif verre au collodion
H. 38,4; L. 27,5
Paris, Bibliothèque Nationale,
Département des Estampes et de la
Photographie

101 a-c
Gimpel, Léon (1878-1948)

*3 autoportraits pris à travers une glace
déformante*
vers 1900
Tirages modernes à partir de plaques
positives sur verre originales de format
H. 6; L. 9
Paris, Société Française de
Photographie
a et b repr. p. 206

102
Gimpel, Léon (1878-1948)

Paysage pris d'un ballon
vers 1900
Épreuve moderne à partir d'un négatif
original au gélatino-bromure d'argent
H. 18; L. 24
Paris, Société Française de
Photographie
Repr. p. 225

103
Godefroy, H.

Promenoir de la prison de Mazas
1900-14
Épreuve sur papier argentique
H. 18; L. 24
Paris, Bibliothèque Historique de la
Ville de Paris
Repr. p. 181

104
Greene, John B. (1832-1856)

Silsilis, Stèle
1854
Négatif papier
H. 24,1; L. 31,2
Paris, Musée d'Orsay, affectation du
Département des Antiquités
égyptiennes du Musée du Louvre, 1986

105
Henry, Paul (1849-1901)
et **Prospère** (1848-1902)

*Photographie du spectre de l'Étoile du
Cygne prise à l'Observatoire de Paris*
(prisme de Flint à 45°)
vers 1890-1900 (?)
Épreuve sur papier argentique
H. 8,6; L. 24
Paris, Bibliothèque de l'Observatoire de
Paris

106
Henry, Paul (1849-1901)
et **Prospère** (1848-1902)

*Vue du ciel, prise de l'Observatoire de
Paris*
1896
Épreuve sur papier citrate
H. 22; L. 17,8
Paris, Bibliothèque de l'Observatoire de
Paris
Repr. p. 235

107
Hill, David Octavius (1802-1870)
Adamson, Robert (1821-1848)

Armure
1843
Négatif papier (Talbotype)
H. 12,8; L. 17
Edimbourg, Scottish National Portrait
Gallery

108
Hill, David Octavius (1802-1870)
Adamson, Robert (1821-1848)

*«Masons working on a carved griffin
for the Scott Monument, Edinburgh»*
(Maçons travaillant sur un griffon
sculpté pour le monument Scott à
Edimbourg)
1843
Épreuve sur papier salé à partir d'un
négatif papier
H. 14,5; L. 20
Edimbourg, Scottish National Portrait
Gallery
Repr. p. 135

109
Hill, David Octavius (1802-1870)
Adamson, Robert (1821-1848)

Children, Newhaven (Enfants de
pêcheurs, Newhaven)
1843/46
Épreuve sur papier salé à partir d'un
négatif papier
H. 13,6; L. 18
Edimbourg, Scottish National Portrait
Gallery
Repr. p. 194

110
Hill, David Octavius (1802-1870)
Adamson, Robert (1821-1848)

«A tree - Colinton» (Arbre à Colinton)
1844
Épreuve sur papier salé à partir d'un
négatif papier
H. 20,5; L. 14,5
Hambourg, Collection Werner
Bokelberg
Repr. p. 80

111
Hill, David Octavius (1802-1870)
Adamson, Robert (1821-1848)

Fence and Trees in Colinton (Clôture et
arbres à Colinton)
1844
H. 21; L. 15
Edimbourg, Scottish National Portrait
Gallery
Repr. p. 51

112
Hine, Lewis Wickes (1874-1940)

*«Bowery Mission Bread Line Midnight
Cold Snowy»* (File d'attente à la
Mission Bowery par une nuit froide et
neigeuse)
1906
Épreuve sur papier argentique
H. 12,6; L. 17,6
Ancienne Collection Lewis Wickes
Hine, don de la Photo League
Rochester, International Museum of
Photography at George Eastman House
Repr. p. 195

113
Hine, Lewis Wickes (1874-1940)
«Child labour in Caroline cottonmill»
(Fillette employée dans une filature de
coton en Caroline)
1908
Épreuve sur papier argentique
H. 12,5; L. 17,5
Ancienne collection Lewis Wickes Hine,
don de la Photo League
Rochester, International Museum of
Photography at George Eastman House
Repr. p. 194

114
Hugo, Charles (1826-1871) et
Hugo, Victor (1802-1885)

Le «Dicq» à Jersey (avec la figure de
Victor Hugo)
1853
Épreuve sur papier salé à partir d'un
négatif verre au collodion
Planche de l'album personnel de Victor
Hugo
H. 16; L. 19,8
Paris, Musée d'Orsay
Repr. p. 21

117

115
Hugo, Charles (1826-1871) et
Hugo, Victor (1802-1885)

*Le rocher des proscrits (détail) avec
Auguste Vacquerie*
1853
Planche de l'album constitué par
Auguste Vacquerie comportant 7
photographies de Jersey prises par
Charles Hugo et mises en scènes par
son père
Épreuve sur papier salé à partir d'un
négatif verre au collodion
H. 22,5; L. 18,2
Paris, Musée d'Orsay
Don de Marie-Thérèse et André
Jammes
Repr. p. 220

116
Hugo, Charles (1826-1871)

*Victor Hugo dans le rocher des Proscrits,
encadré de feuilles découpées et du titre:
«Jersey 1853»*
Photomontage d'une photographie et
de dessins photogéniques
Épreuve sur papier salé à partir d'un
négatif verre au collodion
H. 10,1; L. 7,7
Paris, Maison de Victor Hugo
Repr. p. 33

119

120

121

117
Janssen, Jules (1824-1907) et Arents

Étude de la surface solaire (région
centrale), diamètre du disque 0,888 m,
7 juin 1878 - 6 h 2 m 9 s
Planche IV des *Annales de
l'Observatoire d'Astronomie physique de
l'Observatoire de Paris-Meudon*, 1896,
Tome 1
Épreuve en Woodbury-type (?) à partir
d'un négatif verre au collodion
H. 23; L. 17
Paris, Bibliothèque de l'Observatoire de
Paris

118
Jeandel, Charles-François (1859-1942)

Modèle féminin enveloppé dans un drap
1890-1900
Épreuve sur papier au cyanotype
pl. d'un album de photographies par
l'artiste
H. 12,1; L. 16,9
Paris, Musée d'Orsay
Don de la famille de François
Braunschweig à la mémoire de la
galerie Texbraun
Repr. p. 209

119
Jeuffrain, Paul (?-1916)

Paysage des Pyrénées
1847/50
Épreuve sur papier salé à partir d'un
négatif papier
H. 18,5; L. 24,3
Paris, Société Française de
Photographie

120 a-b
Jouvin, Hippolyte

Paris, vues instantanées
D.L. 1863
Épreuves stéréoscopiques sur papier
albuminé à partir d'un négatif verre
H. 8,5; L. 17,2
Paris, Bibliothèque Nationale,
Département des Estampes et de la
Photographie

121
Langerock, Henri

En forêt de Fontainebleau
D.L. 1872
Épreuve sur papier albuminé à partir
d'un négatif verre au collodion
H. 25,8; L. 38,3
Paris, Bibliothèque Nationale,
Département des Estampes et de la
Photographie

122
Lansiaux, Charles

*«Rue de la Tombe-Issoire - une section
de charcutiers et bouchers mobilisés
viennent préparer des conserves à la
brasserie Dumesnil»*
20-30 avril 1914
Épreuve sur papier argentique
H. 11,5; L. 17,5
Paris, Bibliothèque Historique de la
Ville de Paris
Repr. p. 110

123
Lansiaux, Charles

*«Village flottant - cabine habitée par
deux familles - pendant que les jeunes
mères allaitent, leur grand-mère
distribue une bonne tasse de café»*
Février 1915
Épreuve sur papier argentique
découpée en ovale
H. 17,5; L. 12,5
Paris, Bibliothèque Historique de la
Ville de Paris

123

124

124

Lansiaux, Charles

«Couloir conduisant aux cabines habitées par des familles quelquefois de 6 membres. Agencement fait par M. Lieure, marchand de biens, âme de cette œuvre philanthropique»
Février 1915
Épreuve sur papier argentique découpée en ovale
H. 17,5; L. 11,5
Paris, Bibliothèque Historique de la Ville de Paris

125

Lansiaux, Charles

«Soldats traversant le carrefour de la Tombe-Issoire pour aller rejoindre le front»
Avril 1915
Épreuve sur papier argentique
H. 11,5; L. 17,5
Paris, Bibliothèque Historique de la Ville de Paris
Repr. p. 111

126

Lartigue, Jacques-Henri (1894-1987)

«Chatel-Guyon, Villa des Marronniers. Zissou en fantôme»
Juillet 1905
Épreuve moderne agrandie à partir du négatif original
H. 18; L. 21
Paris, Association des Amis de Jacques-Henri Lartigue
Repr. p. 59

127

Lartigue, Jacques-Henri (1894-1987)

«Rouzat, Bouboutte» en train de sauter
Août 1908-1910
Épreuve moderne agrandie à partir du négatif original
H. 18; L. 21
Paris, Association des Amis de Jacques-Henri Lartigue
Repr. p. 140

128

Lartigue, Jacques-Henri (1894-1987)

«Rouzat, dans la piscine, moi»
Août 1911
Épreuve moderne agrandie à partir du négatif original
H. 18; L. 21
Paris, Association des Amis de Jacques-Henri Lartigue
Repr. p. 121

129

Lartigue, Jacques-Henri (1984-1987)

«Le chat sautant. Pau»
Décembre 1912
Épreuves modernes agrandies à partir d'un négatif original stéréoscopique
H. 18; L. 21
Paris, Association des Amis de Jacques-Henri Lartigue
Repr. p. 140

130

Le Gray, Gustave (1820-1882)

L'Impératrice Eugénie sur son prie-dieu aux Tuileries
1856
Épreuve sur papier albuminé à partir d'un négatif verre au collodion
H. 29,9; L. 22
Paris, Bibliothèque Nationale, Département des Estampes et de la Photographie
Repr. p. 84

131

Le Gray, Gustave (1820-1882)

Au fond du jardin - ou Le rateau
vers 1860
Épreuve sur papier légèrement albuminé à partir d'un négatif verre au collodion
H. 25,1; L. 20,6
Paris, Bibliothèque Nationale, Département des Estampes et de la Photographie
Repr. p. 176

132

Le Gray, Gustave (1820-1882)

«Rue de Tolède à Palerme, barricade du Général Turr»
D.L. 1860
N° 4 de la série éditée par Colliau & Costet
Épreuve sur papier albuminé à partir d'un négatif papier, juin 1860
H. 25,2; L. 40,8
Paris, Bibliothèque Nationale, Département des Estampes et de la Photographie
Repr. p. 190

133

Le Gray, Gustave (1820-1882)

«Palais Carini. Palerme»
D.L. 1860
N° 3 de la série éditée par Colliau & Costet
Épreuve sur papier albuminé à partir d'un négatif papier, juin 1860
H. 25,2; L. 40,7
Paris, Bibliothèque Nationale, Département des Estampes et de la Photographie

134

Le Secq, Henri (1818-1882)

Bateaux à quai à Dieppe
vers 1850
Épreuve moderne réalisée par Claudine Sudre (1971) d'après le négatif papier original
H. 24,7; L. 34,7
Paris, Bibliothèque Nationale, Département des Estampes et de la Photographie
Repr. p. 112

135
Le Secq, Henri (1818-1882)

Bateaux à quai à Dieppe
vers 1850
Négatif papier ciré
H. 23,8; L. 34,1
Paris, Bibliothèque Nationale,
Département des Estampes et de la
Photographie
Repr. p. 28

136
Le Secq, Henri (1818-1882)

*Portrait d'un nouveau-né endormi dans
un châle en cachemire (un des fils
d'Henri Le Secq)*
1851/54
Épreuve sur papier salé à partir d'un
négatif papier ciré
H. 12; L. 8,8
Paris, Bibliothèque des Arts Décoratifs,
don Henry Le Secq des Tournelles
Repr. p. 116

137
Le Secq, Henri (1818-1882)

Paris - bains publics
1852-53
Épreuve sur papier salé à partir d'un
négatif papier ciré
H. 13,3; L. 17,7
Paris, Bibliothèque des Arts Décoratifs,
don Henry Le Secq des Tournelles
Repr. p. 74

138
Le Secq, Henri (1818-1882)

Paris, bains publics, école de natation
1852-53
Négatif papier ciré
H. 12,5; L. 17,4
Paris, Bibliothèque des Arts Décoratifs,
don Henry Le Secq des Tournelles
Repr. p. 135

139
Le Secq, Henri (1818-1882)

*Montmirail, «Au champ des Cosaques»,
éboulis de terre*
1852-53
Épreuve sur papier salé à partir d'un
négatif papier ciré
H. 21,2; L. 33
Paris, Bibliothèque des Arts Décoratifs,
don Henry Le Secq des Tournelles
Repr. p. 160

140
Le Secq, Henri (1818-1882)

Carrière
1852-53
Négatif papier ciré
H. 51,8; L. 39,2
Paris, Bibliothèque des Arts Décoratifs,
don Henry Le Secq des Tournelles
Repr. p. 29

141
Le Secq, Henri (1818-1882)

*Chemin longeant le mur d'une ferme à
l'ombre de trois gros arbres*
1852-53
Épreuve sur papier salé à partir d'un
négatif papier ciré
H. 11; L. 14,2
Paris, Bibliothèque des Arts Décoratifs,
don Henry Le Secq des Tournelles

142
Le Secq, Henri (1818-1882)

Tronc d'arbre débité
1852-53
Épreuve sur papier salé à partir d'un
négatif papier ciré
H. 14,2; L. 19,5
Paris, Bibliothèque des Arts Décoratifs,
don Henry Le Secq des Tournelles
Repr. p. 160

143
Le Secq, Henri (1818-1882)

*Portrait d'une fillette au béret accoudée
à un balcon*
1852-55
Négatif papier ciré
H. 14,7; L. 13,3
Paris, Bibliothèque des Arts Décoratifs,
don Henry Le Secq des Tournelles

144
Le Secq, Henri (1818-1882)

«Le petit soldat»
vers 1854
Épreuve sur papier salé à partir d'un
négatif papier ciré
H. 14,2; L. 10,9
Paris, Bibliothèque des Arts Décoratifs,
don Henry Le Secq des Tournelles
Repr. p. 116

133

141

143

146

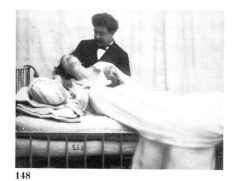

148

145
Le Secq, Henri (1818-1882)

*Nature morte portant le titre
«Fantaisies/clichés par H. Le Secq»*
vers 1855
Épreuve sur papier au cyanotype à
partir d'un négatif papier ciré
H. 36,7; L. 26,8
Paris, Bibliothèque des Arts Décoratifs,
don Henry Le Secq des Tournelles
Repr. p. 208

146
Le Secq, Henri (1818-1882)

Deux harengs saurs
vers 1855
Épreuve sur papier au cyanotype à
partir d'un négatif papier ciré
H. 34,8; L. 25,4
Paris, Bibliothèque des Arts Décoratifs,
Don Henry Le Secq des Tournelles

147
Le Secq, Henri (1818-1882)

*Portrait de jeune femme posant en corset,
les cheveux défaits*
vers 1855
Épreuve au cyanotype reproduisant
l'image en négatif
H. 16,2; L. 11
Paris, Bibliothèque des Arts Décoratifs,
don Henry Le Secq des Tournelles
Repr. p. 25

148
Londe, Albert (1858-1917)

*«Attaques hystériques de Mlle Frémin et
Mlle Mabillon»*
Planche pour l'*Iconographie de la
Salpêtrière* illustrant les cours de
Charcot
vers 1885
3 épreuves sur papier argentique à
partir d'un négatif verre, collées sur le
même carton
H. 10,1; L. 14,5
H. 11,1; L. 16,3
H. 10,3; L. 13,9
Paris, Collection Famille Braunschweig
Repr. «Attaque de Mlle Mabillon»

149
Londe, Albert (1858-1917)

«Contractures hystériques»
Planche pour *l'Iconographie de la
Salpêtrière* illustrant les cours de
Charcot
vers 1885
5 épreuves sur papier argentique
collées sur la même planche
H. 9,5; L. 42,5 l'ensemble
Chaque œuvre : 9,5 × 6,5 ou 7
Paris, Collection Famille Braunschweig
Repr. p. 166

150
Londe, Albert (1858-1917)

*Planche contenant différentes études de
lumière*
1905
Épreuve sur papier citrate
H. 47; L. 46,2
Paris, Collection Société Française de
Photographie
Repr. p. 230

151
Londe, Albert (1858-1917)

Étude de grillage
vers 1900
Épreuve sur papier citrate
H. 16,5; L. 12,3
Paris, Collection Société Française de
Photographie
Repr. p. 231

152
Londe, Albert (1858-1917)

Main avec deux pouces
vers 1900
Épreuve sur papier citrate à partir
d'une plaque radiographique
H. 18; L. 11
Paris, Société Française de
Photographie
Repr. p. 207

156

161

153
Loppé, Gabriel

Paris, la Tour Eiffel vue de nuit
1889
Épreuve sur papier albuminé à partir
d'un négatif verre au gélatino-bromure
d'argent
H. 12,8; L. 17,9
Paris, Musée d'Orsay
Repr. p. 65

154
Lullin, Jean Gabriel E. (1775-1863)

L'artiste et sa femme dans un parc
1840-43
Daguerréotype
H. 10; L. 14,7
Ottawa, Musée des Beaux-Arts du
Canada, don de Mme Phyllis Lambert
Repr. p. 48

155
MacPherson, Robert (1811-1872)

*Le théâtre de Marcellus vu de la Piazza
Montanara à Rome*
vers 1855
Épreuve sur papier albuminé à partir
d'un négatif verre
H. 41,1; L. 27,5
New York, Collection de la Gilman
Paper Company
Repr. p. 52

156
MacPherson, Robert (1811-1872)

«Cloaca Maxima»
vers 1860
Épreuve sur papier albuminé à partir
d'un négatif verre au collodion
H. 31,1; L. 37,2
New York, Collection de la Gilman
Paper Company

157
Marey, Jules (1830-1904)

Locomotion humaine, saut en longueur
vers 1887
Chronophotographie
Épreuve moderne à partir du négatif
original sur verre
H. 9; L. 12
Paris, Collège de France
Repr. p. 144

158
Marey, Jules (1830-1904)

*Locomotion humaine, course sur plan
incliné*
1886
Chronophotographie géométrique
Épreuve moderne à partir du négatif
original sur verre
H. 6,5; L. 9
Paris, Collège de France
Repr. p. 145

159
Marey, Jules (1830-1904)

*Locomotion humaine, saut sur place,
pieds joints*
1884
Chronophotographie géométrique
H. 8,5; L. 3
Paris, Collège de France
Repr. p. 145

160
Marey, Jules (1830-1904)

Cheval au trot
vers 1886
Chronophotographie
Épreuve moderne à partir du négatif
original sur verre
H. 6,5; L. 9
Paris, Collège de France
Repr. p. 144

161
Marey, Jules (1830-1904)

Vol du goéland
1882-86
Chronophotographie
Épreuve moderne à partir du négatif
original sur verre
H. 6,5; L. 9
Paris, Collège de France
Repr. p. 145

162

162
Marey, Jules (1830-1904)

Station physiologique,
chronophotographie, agrandissements,
positions successives du chat qui sans
point d'appui extérieur se retourne en
tombant
1894
Chronophotographies sur pellicule
mobile
Épreuve sur papier argentique
H. 13,5; L. 8,5
Sur le même montage : *allures du chien*
au pas, chronophotographies sur
pellicule mobile
1895-97
Beaune, Musée Marey
Repr. d'un détail du saut du chat

163
Marey, Jules (1830-1904)

Vol du Héron
vers 1895
4 chronophotographies agrandies,
collées sur le même montage
Épreuves sur papier argentique
Projection horizontale H. 15; L. 35,7

Projection verticale H. 14,5; L. 28
Vue latérale H. 12,5; L. 25
Vue de face H. 14,5; L. 22
Beaune, Musée Marey
Repr. de la *Vue de face*

164
Marly, Jules (1830-1904)

Mouvements de l'air (filets de fumée) à
la rencontre d'une boule, photographies
d'écoulements aérodynamiques étudiés
au moyen d'un appareil à fumée.
1900-1901
30 épreuves sur papier argentique
H. 7; L. 4,5 chaque
Beaune, Musée Marey
Repr. du détail central p. 211

165
Martel, E. et Gaupillat

«Gouffre de Padirac (Lot), vue de
l'orifice à la distance de 75 mètres»
1889
Épreuve sur papier argentique
H. 16,6; L. 12,3
Paris, Bibliothèque du Muséum
d'Histoire Naturelle
Repr. p. 109

166
Marville, Charles (1816-vers 1879)

Homme assis sous un arbre
vers 1852-53
Épreuve sur papier salé (de Blanquart-
Évrard) à partir d'un négatif papier
H. 21; L. 18
Paris, Collection Gérard Lévy

167
Marville, Charles (1816-vers 1879)

Notre-Dame-de-Paris, toiture
vers 1860
Épreuve sur papier albuminé à partir
d'un négatif verre au collodion
H. 36,5; L. 47
Paris, Musée d'Orsay

168
Marville, Charles (1816-vers 1879)

«Bords de la Bièvre» (au bas de la rue
des Gobelins)
vers 1860
Épreuve sur papier albuminé à partir
d'un négatif verre au collodion
H. 27,1; L. 36,7
Paris, Musée Carnavalet

166

167

168

170

171

173

169
Marville, Charles (1816-vers 1879)

«Impasse de l'Essai» (du marché aux chevaux)
vers 1865
Épreuve sur papier albuminé à partir d'un négatif verre au collodion
H. 26,5; L. 37
Paris, Musée Carnavalet
Repr. p. 104

170
Marville, Charles (1816-vers 1879)

«Impasse de la Bouteille» (de la rue Montorgueil)
vers 1865
Épreuve sur papier albuminé à partir d'un négatif verre au collodion
H. 36; L. 27,2
Paris, Musée Carnavalet

171
Marville, Charles (1816-vers 1879)

«Rue du Chat qui Pesche» (de la rue de la Huchette)
vers 1868
Épreuve sur papier albuminé à partir d'un négatif papier
H. 36,1; L. 27,2
Paris, Musée Carnavalet

172
Marville, Charles (1816-vers 1879)

Urinoir (Square des Batignolles)
vers 1870
Épreuve sur papier albuminé à partir d'un négatif verre au collodion
H. 33,5; L. 24,2
Paris, Musée Carnavalet
Repr. p. 169

173
Marville, Charles (1816-vers 1879)

«La rue d'Alésia» (de la rue de la Tombe-Issoire)
vers 1875
Épreuve sur papier albuminé à partir d'un négatif verre au collodion
H. 23,4; L. 36,3
Paris, Musée Carnavalet

174
Marville, Charles (1816-vers 1879)

«Rue d'Hautpoul et entrée des carrières de la rue de Compans»
vers 1875
Épreuve sur papier albuminé à partir d'un négatif verre au collodion
H. 26,7; L. 36,5
Paris, Musée Carnavalet

174

175

182

175
Marville, Charles (1816-vers 1879)

*«Abri mobile de marchands de journaux
- menuiserie»*
vers 1876
Épreuve sur papier albuminé à partir
d'un négatif verre au collodion
H. 35; L. 27,1
Paris, Musée Carnavalet

176
Mayer, Léopold Ernest
(1817-vers 1865) et
Pierson, Pierre-Louis (1822-1913)

*La Comtesse de Castiglione en buste,
l'œil réhaussé d'un cadre*
vers 1864
Épreuve moderne de Christian Kempf
à partir du négatif verre original
Colmar, Archives Départementales du
Haut-Rhin, dépôt du Musée
d'Unterlinden
Repr. p. 93

177
Mayer, Léopold Ernest
(1817-vers 1865) et
Pierson, Pierre-Louis (1822-1913)

*La Comtesse de Castiglione assise sur
une table*
vers 1864
Épreuve moderne de Christian Kempf
à partir du négatif verre original
Colmar, Archives Départementales du
Haut-Rhin, dépôt du Musée
d'Unterlinden
Repr. p. 118

178 a-b
Mayer, Léopold Ernest
(1817-vers 1865) et
Pierson, Pierre-Louis (1822-1913)

Les pieds en cothurnes de la Castiglione
(détail)
Planche de l'album consacré à la
princesse de Castiglione
1870
Deux épreuves sur papier albuminé à
partir de deux négatifs verre au
collodion
Ancienne collection du Comte Robert
de Montesquiou
New York, Metropolitan Museum of Art,
acquis grâce à David Hunter McAlpin
Repr. p. 166

179
Miot, Paul-Émile (1827-1900)

Pêcherie à Terre-Neuve
N° 10 d'une série éditée par Furne Fils
D.L. 1858
Épreuve sur papier albuminé à partir
d'un négatif verre au collodion
H. 19,7; L. 24,5 coins arrondis
Paris, Bibliothèque Nationale,
Département des Estampes et de la
Photographie
Repr. p. 112

180
Miot, Paul-Émile (1827-1900)

*Terre-Neuve - Rocher sur lequel des
marins peignent le mot «album»* (prévu
comme page de titre d'un album de
photographies)
vers 1859
Épreuve sur papier albuminé à partir
d'un négatif verre au collodion
H. 21; L. 26,5
Paris, Collection Gérard Lévy
Repr. p. 189

181
Miot, Paul-Emile (1827-1900)

La Frégate «L'Astrée» en pleine mer
vers 1869
Épreuve sur papier albuminé à partir
d'un négatif verre au collodion
H. 21; L. 26,5
Brignolles, Collection Serge Kakou
Repr. p. 143

182
Miot, Paul-Émile (1827-1900)

Femme des îles de la Madeleine
Planche 35 de l'*Album de l'Océanie*
dédicacé au Vice-Amiral, Ministre de la
Marine, vers 1869
Épreuve sur papier albuminé à partir
d'un négatif verre au collodion
H. 18; L. 25
Vincennes, Service Historique de la
Marine

183
Muybridge, Eadweard James
(1830-1904)

*Cratère de volcan, Querzalte Nango -
Guatemala*
1875
Épreuve sur papier albuminé à partir
d'un négatif verre au collodion
H. 13,6; L. 22,9
New York, Collection de la Gilman
Paper Company
Repr. p. 203

184
Muybridge, Eadweard (1830-1904)

Athlète, saut périlleux en retournant
vers 1881
Pl. 106 de l'album original *Animal locomotion* (sans titre)
Épreuve sur papier argentique mat à partir d'un négatif verre au collodion
H. 18; L. 24 la page
Beaune, Musée Marey
Repr. p. 144

185
Nadar, Gaspard Félix Tournachon dit (1820-1910)

Examen d'un Hermaphrodite
vers 1860
Épreuve sur papier albuminé à partir d'un négatif verre au collodion
H. 24,5; L. 19,5
Paris, Musée d'Orsay, don de la famille de François Braunschweig en souvenir de la galerie Texbraun
Repr. p. 197

186
Nadar, Gaspard Félix Tournachon dit (1820-1910)

Hélicoptère de Ponton D'Amecourt
vers 1860
Épreuve sur papier albuminé à partir d'un négatif verre au collodion
H. 29,4; L. 23,7
Paris, Musée Carnavalet
Repr. p. 229

190

187
Nadar, Gaspard Félix Tournachon dit (1820-1910)

Les catacombes de Paris
1861
Épreuve sur papier albuminé à partir d'un négatif verre au collodion
H. 26,2; L. 19,8
Paris, Bibliothèque Nationale, Département des Estampes et de la Photographie
Repr. p. 58

188
Nadar, Gaspard Félix Tournachon dit (1820-1910)

Les égoûts de Paris
1861
Épreuve sur papier albuminé à partir d'un négatif verre au collodion
H. 22,1; L. 19,1
Paris, Bibliothèque Nationale, Département des Estampes et de la Photographie
Repr. p. 205

189
Nègre, Charles (1820-1880)

Modèle nu dans l'atelier de l'artiste
1848
Négatif papier et épreuve moderne par Claudine Sudre à partir de ce négatif
H. 16; L. 19,5
Paris, Musée d'Orsay
Repr. p. 26

190
Nègre, Charles (1820-1880)

Modèle en chemise allongée sur un lit dans l'atelier de l'artiste
1848
Négatif papier ciré
H. 16,1; L. 19,5
Paris, Collection particulière

191
Nègre, Charles (1820-1880)

Modèle assis en chemise dans l'atelier de l'artiste
1848
Négatif papier et épreuve moderne par Claudine Sudre à partir de ce négatif
H. 18,6; L. 14,3
Paris, Collection particulière
Repr. p. 201

192
Nègre, Charles (1820-1880)

Arles, Galerie Est du cloître de St Trophime
1852
Épreuve sur papier salé à partir d'un négatif papier
H. 32,4; L. 22,2
Paris, Musée d'Orsay
Repr. p. 75

193
Nègre, Charles (1820-1880)

Terrassiers au repos sur un boulevard parisien
1853
Épreuve sur papier salé à partir d'un négatif papier
H. 16,1; L. 13
Paris, Collection particulière
Repr. p. 136

194
O'Sullivan, Timothy (1840-1882)

Council of War at Massaponax Church, Virginia
1864
Épreuve sur papier albuminé à partir d'un négatif verre au collodion
H. 25,4; L. 25,4
Washington, Library of Congress
Repr. p. 137

195
O'Sullivan, Timothy (1840-1882)

«Confederate dead laid out for burial at Mrs. Alsop's Pine Forest, may 20, 1864, three miles from Spotsylvania Court House, Virginia» confédérés morts, prêts pour l'enterrement chez Mrs Alsop, à Pine Forest, le 20 mai 1864, à trois miles de l'Hôtel de Ville de Spotsylvania, Virginie)
20 mai 1864
Épreuve sur papier albuminé à partir d'un négatif verre au collodion
H. 8,7; L. 10,3
Washington, Library of Congress
Repr. p. 191

196
O'Sullivan, Timothy (1840-1882)

*«Confederate soldier of Ewell's Corps
Killed in the attack of May 19-1864»*
(soldat confédéré du corps Ewell, tué
lors de l'attaque du 19 mai 1864)
vers le 20 mai 1864
Épreuve sur papier albuminé à partir
d'un négatif verre au collodion
H. 8,7; L. 8,3
Washington, Library of Congress
Repr. p. 191

197
Attribué à Alphonse Poitevin (1819-
1882)

Ruine médiévale
vers 1850
Négatif papier provenant du fonds
Poitevin
H. 33; L. 25,5
Paris, Musée d'Orsay

198
Poitevin, Louis Alphonse (1819-1882)

*Photogramme - étoile, réalisé lors du
cours de Becquerel*
Impression par la lumière électrique
d'une plaque de perchlorure de fer à
l'acide tartrique lors du cours de
Becquerel au Conservatoire des Arts et
Métiers en avril 1862
H. 24,5; L. 16,2
Paris, Collection particulière

199
Potteau, Philippe Jacques (1807-1876)

*«Crâne de castor canadensis - face
supérieure»*
1868
Épreuve sur papier albuminé à partir
d'un négatif verre au collodion
H. 17; L. 12,8
Paris, Bibliothèque du Muséum
d'Histoire Naturelle
Repr. p. 232

200
Potteau, Philippe Jacques (1807-1876)

«Dissection d'un fourmilier tamanoir»
1868
Épreuve sur papier albuminé à partir
d'un négatif verre au collodion
H. 27,4; L. 27,9
Paris, Bibliothèque du Muséum
d'Histoire Naturelle
Repr. p. 232

201
Potteau, Philippe Jacques (1807-1876)

«Trichaster annulatus»
1868
Épreuve sur papier albuminé à partir
d'un négatif verre au collodion
H. 24,2; L. 16,2
Paris, Bibliothèque du Muséum
d'Histoire Naturelle
Repr. p. 164

202
Primoli, Giuseppe (1851-1927)

Rome. Équilibriste
vers 1890
Épreuve moderne à partir du négatif
original de H. 6; L. 6
Rome, Fondation Primoli
Repr. p. 108

203
Primoli, Giuseppe (1851-1927)

*Femmes montant la scalinata de
l'Aracoeli à Rome*
Décembre 1893
Épreuve moderne à partir du négatif
original de H. 6; L. 6
Rome, Fondation Primoli

204
Primoli, Giuseppe (1851-1927)

Cavaliers dans la campagne romaine.
vers 1895
Épreuve moderne à partir du négatif
original de H. 6; L. 6
Rome, Fondation Primoli

205
Primoli, Giuseppe (1851-1927)

Rome, au Musée Torlonia
vers 1895
Épreuve moderne à partir du négatif
original de H. 6; L. 6
Rome, Fondation Primoli

197

198

203

204

205

207

206
Puyo, Émile Constant (1857-1933)

Lavandières en Bretagne
(panoramique)
vers 1895
Épreuve sur papier citrate
H. 17,5; L. 5,4
Paris, Musée d'Orsay
Repr. p. 109

207
Quinet, Achille (?-1900)

Cheval de ferme
D.L. 1875
Vue num. «109» d'une série intitulée
«Étude d'après nature»
Épreuve sur papier albuminé à partir
d'un négatif verre au collodion
H. 18,9; L. 23,2
Paris, Bibliothèque Nationale,
Département des Estampes et de la
Photographie

208
Rabourdin, Louis

«Nébuleuse de la Lyre», photographie
obtenue à l'Observatoire de Meudon
par télescope, pose 20 minutes;
agrandissement 25 fois
27 juin 1897
Épreuve sur papier argentique sépia
H. 13; L. 12,8
Paris, Bibliothèque de l'Observatoire de
Paris

209
Regnault, Victor (1810-1878)

La femme de l'artiste en buste
vers 1850
Négatif papier et épreuve moderne de
Claudine Sudre
H. 16,2; L. 13,7
Paris, Société Française de
Photographie
Repr. en négatif p. 26

210
Regnault, Victor (1810-1878)

La femme de l'artiste en mantille
vers 1850
Négatif papier et épreuve moderne de
Claudine Sudre
H. 19,6; L. 14,7
Paris, Société Française de
Photographie
Repr. en positif p. 72

211
Regnault, Victor (1810-1878)

*«Saint-Cloud, canal et avenues, vue
prise de la cascade»*
1853
Épreuve sur papier salé à partir d'un
négatif papier
H. 34,3; L. 45,5
Paris, Musée d'Orsay, Dépôt de la
Bibliothèque de la Manufacture
Nationale de Sèvres

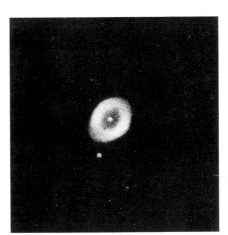

208

211

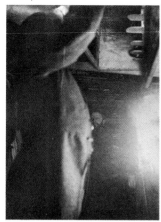

217   219

212
Rejlander, Oscar Gustave (1813-1875)

«Le rêve»
1860
Épreuve sur papier albuminé à partir
d'un négatif verre au collodion
H. 14; L. 19,6
Rochester, International Museum of
Photography at George Eastman House
Repr. p. 209

213
Rejlander, Oscar Gustave (1813-1875)
«Temps difficiles»
1860
Épreuve sur papier albuminé réalisée à
partir de deux négatifs sur verre au
collodion superposés
H. 13,9; L. 19,9
Rochester, International Museum of
Photography at George Eastman House
Repr. p. 59

215
Riis, Jacob August (1849-1914)

*«Minding the Baby... a Whirlwind Scene
Gotham Court»*
(Scène prise sur le vif à Gotham Court)
vers 1889
Épreuve sur papier argentique
H. 12,7; L. 17,7
Ancienne collection Berenice Abbott-
Julien Lévy, acquis avec la
participation de Shirley C. Burden
New York, Museum of Modern Art
Repr. p. 141

216
Rivière, Henri (1864-1951)

Le Cabaret du «Chat noir» (manœuvre
d'un décor, vue du 1er cintre)
vers 1887
Cyanotype
H. 12; L. 9
Paris, Musée d'Orsay
Don de Mme Guy-Loé et de
Mlle Geneviève Noufflard
Repr. p. 108

217
Rivière, Henri (1864-1951)

Le Cabaret du «Chat Noir» (personnage
actionnant un décor)
vers 1887
Épreuve sur papier argentique mat
H. 9; L. 12
Paris, Musée d'Orsay
Don de Mme Guy-Loé et de
Mlle Geneviève Noufflard

218
Rivière, Henri (1864-1951)

*Un couple rentrant dans un bâtiment
public*
1885-1895
Épreuve sur papier argentique mat
H. 12; L. 9
Paris, Musée d'Orsay
Don de Mme Guy-Loé et
Mlle Geneviève Noufflard
Repr. p. 138

219
Rivière, Henri (1864-1951)

*La Tour Eiffel: échafaudage sur le
campanile* (vue plongeante sur la
Seine)
1889
Épreuve sur papier argentique mat
H. 12; L. 9
Paris, Musée d'Orsay
Don de Mlle Solange Granet,
Mme Bernard Granet et ses enfants.

220
Rivière, Henri (1864-1951)

*La Tour Eiffel: contreplongée vers la
lanterne*
1889
Épreuve sur papier argentique mat
H. 9; L. 12
Paris, Musée d'Orsay
Don de Mlle Solange Granet,
Mme Bernard Granet et ses enfants
Repr. p. 108

221
Rivière, Henri (1864-1951)

Ouvrier travaillant sur la Tour Eiffel
1889
Épreuve sur papier argentique mat
H. 12; L. 9
Paris, Musée d'Orsay
Don de Mme Guy-Loé et de
Mlle Geneviève Noufflard
Repr. p. 120

222

229

222
Rivière, Henri (1864-1951)

*Mme Rivière à la porte du vestibule de
l'appartement*
1899-1900
Épreuve sur papier au cyanotype
H. 11; L. 5
Paris, Musée d'Orsay
Don de Mme Guy-Loé et de
Mlle Geneviève Noufflard

223
Rivière, Henri (1864-1951)

La femme de l'artiste et son chien
1895/1900
Épreuve sur papier au cianotype
H. 9; L. 12
Paris, Musée d'Orsay
Don de Mme Guy-Loé et de
Mlle Geneviève Noufflard
Repr. p. 86

224
Robert, Louis-Rémy (1811-1882)

Henriette, fille de l'artiste
vers 1850
Épreuve sur papier salé à partir d'un
négatif papier
H. 22; L. 14,9
New York, Collection de la Gilman
Paper Company
Repr. p. 87

225
Rumine, Gabriel De

*Pouzzoles, ruines de l'ancien marché dit
Temple de Sérapis*
D.L. 1860
Épreuve sur papier albuminé à partir
d'un négatif verre au collodion
H. 34; L. 40,5
Paris, Bibliothèque Nationale,
Département des Estampes et de la
Photographie
Repr. p. 202

226
Salzmann, Auguste (1824-1872)

*«Escalier antique taillé dans le roc
conduisant à l'ancienne porte du
fumier»*
1854
Planche de l'album *Jérusalem : étude et
reproduction photographique de la ville
Sainte, depuis l'époque judaïque jusqu'à
nos jours*, Paris, Gide et Baudry, 1856
Épreuve sur papier salé à partir d'un
négatif papier, tirée dans les ateliers de
Blanquard-Évrard à Loos-es-Lille
H. 32,6; L. 23,2
Paris, Bibliothèque Forney
Repr. p. 161

227
Seeley, George H. (1880-1955)

The White Screen (Le paravent blanc)
vers 1910
Planche III du numéro de janvier 1910
de la Revue *Camera Work* éditée à
New York par Alfred Stieglitz
Héliogravure à partir du négatif
original
H. 20,9; L. 15,9
Paris, Musée d'Orsay
Don Minda de Gunzburg par
l'intermédiaire de la société des Amis
d'Orsay
Repr. p. 79

228
Serve-Louvat

Paris, Forts des Halles
Épreuve moderne de Gilles Rochon
(vers 1981) d'après le négatif
stéréoscopique original sur verre au
gélatino-bromure de H. 4,4; L. 10,5
vers 1908
Paris, Bibliothèque Nationale,
Département des Estampes et de la
Photographie, Dépôt du Musée d'Orsay
Repr. p. 138

229
Shaw, George (1818-1904)

Étude d'un vieux chêne
vers 1852
Négatif papier (talbotype)
H. 31,5; L. 25,2
Paris, Musée d'Orsay
Repr. p. 32

230
Stieglitz, Alfred (1864-1946)

Shadows on the lake (ombres sur le lac), *Lake George*
1916
Épreuve sur papier argentique à la gélatine
H. 11,3; L. 8,9
Washington, National Gallery of Art
Alfred Stieglitz Collection
Repr. p. 89

231
Stieglitz, Alfred (1864-1946)

Georgia O'Keefe, a portrait (détail de sa main droite sortant d'une houppelande)
1918
Épreuve sur papier platine
H. 12,5; L. 10,5
Washington, National Gallery of Art
Alfred Stieglitz Collection
Repr. p. 165

232
Stieglitz, Alfred (1864-1946)

Portrait de Georgia O'Keefe (ses mains)
1920
Épreuve sur papier au palladium
H. 23,8; L. 18,5
Washington, National Gallery of Art
Alfred Stieglitz Collection
Repr. p. 165

233
Stieglitz, Alfred (1864-1946)

Dorothy True
1919
Épreuve à la chlorine
H. 20,5; L. 25,2
New York, Museum of Modern Art
Don Georgia O'Keefe
Repr. p. 167

234
Stieglitz, Alfred (1864-1946)

«Apples and Gables, Lake George»
Branches de pommier devant un toit à pignon, Lake George
1922
Épreuve sur papier platine
H. 11,3; L. 9
New York, Museum of Modern Art
Repr. p. 175

235
Strand, Paul (1890-1976)

Sans titre (orange et pichet)
1916
Épreuve «statista», sur papier argentique
H. 38; L. 24,4
New York, Museum of Modern Art
Don Paul Strand
Repr. p. 236

236
Strand, Paul (1890-1976)

Sans titre, Distant figures in park (silhouettes vues de loin dans un parc)
vers 1915
Épreuve sur papier au platine
H. 24,8; L. 33
New York, Museum of Modern Art
Don Paul Strand
Repr. p. 224

237
Strand, Paul (1890-1976)

From the El (vue de l'El)
1917
Épreuve sur papier platine
H. 32,6; L. 25,2
New York, Metropolitan Museum of Art, Alfred Stieglitz Collection
Repr. p. 106

238
Strand, Paul (1890-1976)

Tête de Rebecca, femme de l'artiste
1922
Épreuve sur papier au palladium
H. 24,5; L. 19,2
Paris, Musée National d'Art Moderne, Centre Georges Pompidou
Repr. p. 119

239
Talbot, William Henry Fox
(1800-1877)

Étagère de verrerie, planche de *The Pencil of Nature*, 1844
1843
Épreuve sur papier salé à partir d'un négatif papier
H. 14,4; L. 19,4
Ottawa, Musée des Beaux-Arts du Canada

240
Talbot, William Henry Fox
(1800-1877)

«Doorway at Lacock Abbey», pl. de *The Pencil of Nature*, 1844
(«Porte à Lacock Abbey)
vers 1843
Épreuve sur papier salé à partir d'un négatif papier
H. 15,9; L. 20,2
Ottawa, Musée des Beaux-Arts du Canada
Repr. p. 50

241
Talbot, William Henry Fox
(1800-1877)

Rouen (fenêtre)
16 mai 1843
Épreuve moderne réalisée par Michael Gray à partir du négatif papier original
H. 15; L. 18,5
Bradford, *The National Museum of Photography Film and Television (part of the National Museum of Science and Industry*
Repr. p. 73

242
Tissier

Forêt de Fontainebleau (avec pique-nique)
D.L. 1877
Épreuve sur papier albuminé à partir d'un négatif verre au collodion
H. 33,2; L. 24,8
Paris, Bibliothèque Nationale, Département des Estampes et de la Photographie

243
Tissier

Forêt de Fontainebleau (rochers)
D.L. 1877
Épreuve sur papier albuminé à partir d'un négatif verre au collodion
H. 32,2; L. 24,8
Paris, Bibliothèque Nationale, Département des Estampes et de la Photographie
Rrep. p. 173

244
Tournachon, Adrien (1825-1903)

Autoportrait au chapeau de paille
1854/55
Épreuve sur papier albuminé à partir
d'un négatif verre au collodion
H. 22,3; L. 16,9
Paris, Bibliothèque Nationale,
Département des Estampes et de la
Photographie
Repr. p. 82

245
Tournachon, Adrien (1825-1903)

Marie Roux dite Musette
1854-55
Épreuve sur papier légèrement
albuminé à partir d'un négatif verre au
collodion
H. 25,8; L. 21
Paris, Bibliothèque Nationale,
Département des Estampes et de la
Photographie
Repr. p. 117

246
Tournachon, Adrien (1825-1903)

Le Sculpteur Emmanuel Frémiet
1854-55
Épreuve sur papier gélatine à partir
d'un négatif verre au collodion
H. 24,6; L. 17,4
New York, Collection de la Gilman
Paper Company
Repr. p. 83

247
Tripe, Linnaeus (1822-1902)

*Madura (Inde), cour intérieure devant le
tribunal du Palais Nayak Tiru-Malaï*
1858
Planche 3 de *Arcade in Quadrangle,
Photographic Views in Madura, Part IV*
Épreuve sur papier albuminé à partir
d'un négatif papier ciré
H. 30,1; L. 28,1
Montréal, Collection Centre Canadien
d'Architecture
Repr. p. 75

248
Turner, Benjamin Brecknell (1815-1894)

Londres, intérieur du Crystal Palace
vers 1852
Négatif papier
H. 30; L. 40
Paris, Collection particulière
Repr. p. 19

249
Vacquerie, Auguste (1819-1895)

La main de Victor Hugo
vers 1853
Épreuve sur papier salé à partir d'un
négatif verre au collodion
H. 8,1; L. 7
Paris, Maison de Victor Hugo
Repr. p. 147

250
Vacquerie, Auguste (1819-1895)

Portrait d'Adèle Hugo, fille de Victor
Hugo, réalisé pendant l'exil de Jersey
1853
Négatif papier retouché au lavis
d'encre de Chine
H. 11,2; L. 8,8
Paris, Musée d'Orsay

251
Vacquerie, Auguste (1819-1895)

*Composition avec un portrait de Victor
Hugo encadré, trois livres (Les
Châtiments, Napoléon Le Petit, Actes et
Paroles de l'Exil) et une fleur*
1855
Épreuve sur papier salé à partir d'un
négatif verre au collodion
H. 9,2; L. 7,4
Paris, Maison de Victor Hugo
Repr. p. 208

252
Watkins, Carleton E. (1829-1916)

«Yosemite» (arbres vus en
contreplongée)
1860-70
Planche d'un album de 72
photographies
Épreuve sur papier albuminé à partir
d'un négatif verre au collodion
Tondo; 12,5 sur page H. 17,5; L. 17,5
New York, Collection de la Gilman
Paper Company
Repr. p. 109

243

250

255

253
White, Clarence Hudson (1871-1925)

Raindrops (Gouttes de pluie)
1902
Pl. XIII de *Camera Work*, juillet 1908
Héliogravure à partir du négatif
original
H. 19,3; L. 15,5
Paris, Musée d'Orsay, don Minda de
Gunzburg par l'intermédiaire de la
Société des Amis du Musée d'Orsay
Repr. p. 67

254
Zola, Émile (1840-1902)

Rome, Le Grand-Hôtel
1894
Les œuvres de cet artiste n'ont pu
figurer à l'exposition

255
Anonyme américain

*Horace Greeley (1811-1872), fondateur
du New York Tribune*
vers 1850
Daguerréotype, quart de plaque
H. 10,5; L. 8,3
Washington, National Portrait Gallery

256
Anonyme anglais

Éventail
Planche (composition humoristique) de
«l'album Cavendish»
1860/68
Aquarelle et collage de photographies
Page de l'album H. 28; L. 31
Paris, Musée d'Orsay
Repr. p. 60

257
Anonyme anglais

Bagages (composition humoristique)
Planche 37 de l'«Album Cavendish»
1860/68
Aquarelle et collage de photographies
Page de l'album H. 28; L. 31
Paris, Musée d'Orsay
Repr. p. 61

258
Anonyme français

Femme nue et violon dans un atelier
1840/50
Daguerréotype
Paris, Collection Gérard Lévy
Repr. p. 48

259
Anonyme français

Tas de pavés
vers 1848
Planche de «l'album Regnault»
Épreuve sur papier salé à partir d'un
négatif sur papier au bromure et
fluorure de potassium
prise de vue obtenue en dix secondes
avec un objectif simple
H. 27,7; L. 35,7
Paris, Société Française de
Photographie
Repr. p. 172

260
Anonyme français

Nu masculin
vers 1856
Épreuve ancienne agrandie sur papier
salé à partir d'un négatif verre au
collodion
H. 43,5; L. 28,5
Ancienne Collection du sculpteur
Simart
Paris, Collection particulière
Repr. p. 56

261
Anonyme français

Nu féminin
vers 1856
Épreuve ancienne agrandie sur papier
salé à partir d'un négatif verre au
collodion
H. 43,3; L. 28,2
Ancienne collection du sculpteur
Simart
Paris, Collection particulière
Repr. p. 57

262
Anonyme français

«Alfortville, rue Véron (Partie nord)»
1876
Planche 7 de l'album des *Inondations
de Paris* et la Banlieue Parisienne
Épreuve sur papier albuminé à partir
d'un négatif verre au collodion sec
H. 30; L. 40
Paris, Bibliothèque Historique de la
Ville de Paris
Repr. p. 192

263
Anonyme français

*Géologie expérimentale - réseau de
cassures*, pl. d'une série commandée
par A. Daubrée (Inspecteur général des
Mines)
1878
Épreuve sur papier albuminé à partir
d'un négatif verre
H. 41,5; L. 29,5
Paris, École Nationale des Ponts et
Chaussées
Repr. p. 228

264
Anonyme français

«Prison Ste Pélagie - Dortoir à 7 lits»
Juillet 1889
Épreuve sur papier argentique sépia
H. 23,9; L. 32,2
Paris, Musée Carnavalet
Repr. p. 196

266

265
Anonyme français

«Prison Ste Pélagie - Couloir de la Dette»
Juillet 1889
Épreuve sur papier argentique sépia
H. 32; L. 23,1
Paris, Musée Carnavalet
Repr. p. 196

266
Anonyme français

Lundi de Pentecôte
1894
Épreuve sur papier albuminé (vue prise avec un appareil panoramique Damoiseau)
H. 6; L. 33
Paris, Collection Joachim Bonnemaison

267
Anonyme français

Affaire Marie Bigot, 3 rue Pierre Legrand
28 novembre 1897
Pl. d'un album de la Préfecture de Police
Épreuve sur papier argentique Sepia
H. 16; L. 22
Paris, Collection Gérard Lévy
Repr. p. 62

268
Anonyme français

Affaire Peugniez - vue de la cuisine
5 juin 1898
Planche 31 du même album que le précédent
Épreuve sur papier argentique sépia
H. 15,9; L. 21,8
Paris, Collection Gérard Lévy
Repr. p. 55

269
Anonyme français

Affaire Peugniez - découverte du cadavre de la Dame Bertrand
5 juin 1898
Planche 31 Bis du même album que le précédent
Épreuve sur papier argentique sépia
H. 17; L. 22,6
Paris, Collection Gérard Lévy
Repr. p. 55

270

270
Anonyme français

Incendie du théâtre Français, vue du Grill. Une grande partie a été protégée par les grands décors
8 mars 1900
Planche de *l'Album des Incendies*
1887-1906
Épreuve sur papier argentique
H. 21; L. 28
Paris, Photothèque de la Brigade des Sapeurs-Pompiers de Paris

271
Anonyme français

«Pointe des Poulaires (Quiberon)»
vers 1900
Photographie prise avec un appareil panoramique
Épreuve sur papier argentique
H. 9; L. 15
Paris, Collection Joachim Bonnemaison
Repr. p. 54

272
Anonyme français

Passagère sur le pont
1907
Épreuve au chlorure d'après un négatif verre
H. 9,6; L. 15,3
Paris, Bibliothèque Nationale, Département des Estampes et de la Photographie
Repr. p. 123

273 a-c
Anonyme français

Mains tenant diverses armes en pierre taillée
3 épreuves réalisées pour Alexandre Vielle d'Écouen, montrant l'utilisation de pierres taillées comme armes au XIIIᵉ siècle
1880/1911
Épreuves sur papier argentique
H. 16,5; L. 21,5
H. 16; L. 21,5
H. 16; L. 22
Brignoles, Collection Serge Kakou

274
Anonyme français

Briques de récupération
l'Album du «Centre de Ravitaillement en Essence d'Aubervilliers, Guerre 1914/18»
vers 1915
Album in quarto à l'Italienne
pl. H. 26; L. 30
Paris, Bibliothèque Historique de la Ville de Paris
pl. repr. p. 172

275
Anonyme français

Paysage au sud de Maissemy vu d'avion à 200 m d'altitude pendant la guerre de 1914/18
1917
Épreuve sur papier argentique
H. 17,2; L. 12
Paris, Musée d'Orsay
Repr. p. 225

276
Anonyme français

Prison de St Lazare - Prisonnière cousant dans sa cellule
vers 1895
Épreuve sur papier argentique sépia
H. 40,9; L. 30,3
Paris, Collection Famille Braunschweig

277
Anonyme français

Radiographie d'un bassin et d'une jambe prise de dos
1916
Épreuve sur papier argentique
H. 39,5; L. 29,5
Paris, collection famille Braunschweig

278
Anonyme italien

Aqueduc de Salernes
1850/55
pl. «nᵒ 9» d'un album de paysages italiens
Épreuve sur papier légèrement albuminé à partir d'un négatif papier
H. 33,2; L. 24
Paris, Bibliothèque Nationale, Département des Estampes et de la Photographie

279
Anonyme italien

Rochers près d'Amalfi
1850/55
pl. «nᵒ 49» du même album que précédent
Épreuve sur papier légèrement albuminé à partir d'un négatif papier
H. 32,2; L. 24,1
Paris, Bibliothèque Nationale, Département des Estampes et de la Photographie

276

280
Anonyme italien

Oliveraie
1850/55
pl. «nᵒ 22» du même album que précédent
Épreuve sur papier légèrement albuminé à partir d'un négatif papier
H. 33; L. 24,5
Paris, Bibliothèque Nationale, Département des Estampes et de la Photographie

H.C.
Bisson, Louis-Auguste (1814-1876)
Bisson, Auguste-Rosalie (1826-1900)

Portail du château d'Heidelberg
antérieur à 1858
Épreuve sur papier à l'albumine à partir d'un négatif verre au collodion
H. 45,7; L. 33,6
Montréal, Centre Canadien d'architecture
Repr. p. 95

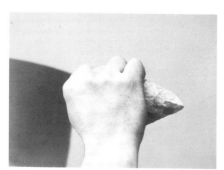

273a

273b

273c

278

279

H.C.
Clifford, Charles (1800-1863)

Alhambra, Grenade, Cour des lions
octobre 1862
Épreuve sur papier à l'albumine à
partir d'un négatif verre au collodion
H. 40,2; L. 31,9
Montréal, Centre Canadien
d'architecture
Repr. p. 68

H.C.
Adget, Eugène (1857-1927)

St-Cloud, détail de racines d'arbre
1924
Épreuve sur papier à l'albumine
H. 22,3; L. 17
New York, Museum of Modern Art,
Abbot-Levy Collection, acquis grâce à
la participation de Shirley C. Burden
Repr. p. 96

280

Bibliographie

Informations générales

Photography 1839-1937. New York : the museum of Modern Art, 1937. Catalogue d'exposition avec une introduction de Beaumont Newhall. 95 ill. Bibliogr.

Newhall, Beaumont. *L'Histoire de la photographie depuis 1839 et jusqu'à nos jours.* Paris : Bélier-Prisma, 1967. 216 p., très nombr. ill. Bibliogr., index. (trad. par André Jammes de la 4ᵉ éd. New York, 1964)

Marbot, Bernard. *Une invention du XIXᵉ siècle, expression et technique : la photographie.* Paris : Bibliothèque nationale, 1976. VIII-155 p., très nombr. ill. Index des phot. (catalogue de l'exposition consacrée aux collections de la Société française de photographie par la Bibliothèque nationale)

Regards sur la photographie en France au XIXᵉ siècle. 180 chefs-d'œuvre du Département des estampes et de la photographie. Texte de Weston J. Naef, catalogue et annexes de Bernard Marbot. Paris : Berger-Levrault, 1980. 190 p., 170 ill. Bibliogr., index (trad. sous le titre *After Daguerre. Masterworks of French Photography (1848-1900) from the Bibliothèque Nationale,* New York, The Metropolitan Museum of Art, 1980)

Apraxine, Pierre. *Photographs from the Collection of the Gilman Paper Company,* planches par Richard Benson. White Oak Press, 1985.

Approches particulières

Benjamin, Walter. *L'homme, le langage et la culture.* Paris : Denoël, 1971, traduit de l'allemand par Maurice de Gandillac pour les deux essais : *Petite histoire de la photographie* (1931), p. 57 à 79. *L'œuvre d'art à l'ère de sa reproductibilité technique* (1936), p. 137 à 181.

Szarkowski, John. *The photographer's Eye.* New York : The Museum of Modern Art, 1966.

Szarkowski, John. *Looking at photographs.* New York : The Museum of Modern Art, 1973. 212 p.

Kozloff, Max. *Photography and Fascination.* Danbury : New Hampshire, 1979.

Barthes, Roland. *La Chambre claire, note sur la photographie.* Paris : Gallimard/Le Seuil, 1981, 201 p., ill.

Galassi, Peter. *Before Photography : painting and the invention of photography.* New York : The Museum of Modern Art, 1981. 151 p., ill. Bibliogr., index.

Frizot, Michel. *Avant le cinématographe la chronophotographie.* Beaune : Association des amis de Marey, 1984. Bibliogr.

Vanishing Presence. Essays by Eugenia Parry Janis, Max Kozloff, Adam D. Weinberg. Minneapolis : Walker Art Center, 1989. 190 p., très nombr. ill.

Jammes, André et Janis, Eugenia Parry. *The Art of French Calotye,* Princeton University Press, Princeton, N. Y., 1983. Avec un dictionnaire critique des photographes, 1845-1870. 285 p., très nombr. ill. Bibliogr., index.

Mac Cauley, Anne. *Likeness : Portrait photography in Europe, 1850-1870.* Albuquerque : Art Museum University of New Mexico, 1981. 86 p., 67 ill.

Hight, Eleanor M. *Moholy-Nagy : Photography and Film in Weimar Germany,* Wellesley College, Massachusetts, 1985.

Les photographes

Szarkowski, John et Hambourg, Maria Morris. *The Work of Atget.* New York : The Museum of Modern Art, 1981-1985. 4 vol.

Schaaf Larry L. *Sun gardens, Victorian photograms by Anna Atkins.* New York : Aperture, 1985. 104 p., nombr. ill. Index.

Mac Cauley, Anne, « The Career of Charles Aubry » dans *The J. Paul Getty Museum Journal,* Vol. 14, 1986, pp. 157-172, ill.

Heilbrun, Françoise et Neagu, Philippe, « Baldus : paysages, architecture » dans *Photographies,* nᵒ 1, 1983, pp. 56-77, ill.

Frizot, Michel, Gautrand, Jean-Claude. *Hippolyte Bayard, Naissance de l'image photographique.* Amiens : Trois Cailloux, 1986. 240 p., très nombr. ill. Bibliogr. inventaire des photogr.

Images intimes, 129 daguerréotypes 1841-1857. Ottawa : Musée des Beaux-Arts, 1988 (informations sur Hermann C.E. Biewend)

Heilbrun, Françoise et Neagu, Philippe. *Pierre Bonnard, photographe.* Paris : Philippe Sers/Réunion des musées nationaux, 1987. 148 p., nombr. ill. Bibliogr.

Horan James D. *Mathew Brady, Historian with a Camera.* New York : Crown, 1955. XX-244 p., 453 ill. Bibliogr., index.

Gernsheim, Helmut. *Julia Margaret Cameron, her life and photographic work.* New York : Aperture, 1975. 200 p., nombr. ill. Bibliogr., index.

Davis, Keith F. *Désiré Charnay, expeditionary photographer.* Albuquerque : The University of New Mexico, 1981. XII-212 p. Bibliogr., index.

Coburn, Alvin Langdon, *Alvin Langdon Coburn Photographer, an autobiography*. Helmut et Alison Gernsheim, éd. New York : Frederick A. Preger, 1966, 144 p., 68 ill. Bibliogr.

Perego, Elvire, "Delmaet & Durandelle ou la rectitude des lignes, un atelier du XIXᵉ siècle" dans *Photographies*, nᵒ 5, 1984, pp. 54-75, ill.

Newhall, Beaumont. *Frederick H. Evans*. New York : Aperture, 1973. (120) p., nombr. ill. Bibliogr.

Jammes, Bruno, «John B. Greene, an American calotypist» dans *History of Photography*, oct. 1981, pp. 305-324, ill.

Stevenson, Sara. *David Octavius Hill and Robert Adamson. Catalogue of their calotypes taken between 1843 and 1847 in the collection of the Scottish National Portrait Gallery*. Edinburg : National Galleries of Scotland, 1981. 220 p., très nombr. ill.

Neagu, Philippe, «Un projet photographique de Victor Hugo» dans *Photographies* nᵒ 3, 1983, pp. 55-61, ill.

Floc'Lhay, Catherine, «Un fonds récemment inventorié : la collection Lansiaux sur la guerre 1914-1918» dans *Bulletin de la bibliothèque et des travaux historiques*, t. XI, 1986, pp. 32-35.

Frizot, Michel. *Lartigue 8 X 80*. Paris : Delpire, 1975. 144 p., nombr. ill. Bibliogr.

Janis, Eugenia Parry. *The Photography of Gustave Le Gray*. Chicago : The University of Chicago/The Art Institute of Chicago, 1987. 184 p., très nombr. ill. Bibliogr., index.

Janis, Eugenia Parry, Sartre, Josiane. *Henry Le Secq, photographe de 1850 à 1860*. Paris : Flammarion, 1986. 192 p., très nombr. ill. Bibliogr., index topographique.

Bernard, Denis et Gunthert, André, «Albert Londre, l'image multiple» dans *La Recherche photographique*, nᵒ 4, 1988, pp. 6-15, ill.

Henry, Jean-Jacques. *Photographie, les débuts en Normandie*. Le Havre : Maison de la Culture, 1989. 104 p., 143 ill. Bibliogr. , notices sur les phot. (informations inédites sur les frères Macaire).

Dagognet, François. *Etienne-Jules Marey, la passion de la trace*. Paris : Hazan, 1987, 144 p., 68 ill.

Thezy, Marie de. *Charles Marville, photographe de Paris de 1851 à 1879*. Paris : Hôtel de Ville, 1980. 96 p., 24 ill.

Eadweard Muybridge : The Stanford years, 1872-1882. Textes de Robert Bartlett Haas, Anita Ventura Mozley, Françoise Forster-Hahn. Stanford University, 1972. 136 p., nombr. ill.

Greaves, Roger. *Nadar ou le paradoxe vital*. Paris : Flammarion, 1980. 422 p., ill. Bibliogr., index.

Heilbrun, Françoise. *Charles Nègre, photographe, 1820-1880*. Paris : Réunion des musées nationaux, 1980. 384 p., très nombr. ill. Bibliogr.

Snyder, Joel. *American frontiers. The Photograph of Timothy H. O'Sullivan, 1867-1874*. New York : Aperture, 1981. 119 p., nombr. ill. Bibliogr.

Aubenas, Sylvie. *Alphonse Poitevin (1819-1882), photographe et inventeur*. Paris, 1987. 455 p. (Thèse dactylographiée, Ecole des Chartes)

Vitali, Lamberto. *Un fotografo fin de siècle : Il conte Primoli*. Turin : Einaudi, 1968. 314 p., très nombr. ill.

Jones, Edgar Yoxall. *Father of art photography, O.G. Rejlander 1813-1875*. Newton Abbot : David & Charles, 1973. 112 p., nombr. ill.

Alland, Alexander. *Jacob A. Riis, photographer & citizen*. New York : Aperture, 1974. 220 p., nombr. ill. Bibliogr., index.

Fossier, François, Heilbrun, Françoise, Neagu, Philippe. *Henri Rivière, graveur et photographe*. Paris : Réunion des musées nationaux, 1988. 111 p., très nombr. ill.

Heilbrun, Françoise, «Auguste Salzmann, photographe malgré lui» dans *F. de Saulcy 1807-1880 et la Terre Sainte*. Paris : Réunion des musées nationaux, 1982. 238 p., nombr. ill.

Heilbrun, Françoise. *Paysages de George Shaw*. Paris : Réunion des musées nationaux, 1982. 16 p., ill.

Norman, Dorothy. *Alfred Stieglitz : An American Seer*. New York : Random House, 1973. 254 p., nombr. ill. Bibliogr., index.

Paul Strand, sixty years of photographs. Introd. de Calvin Tomkins. New York : Aperture, 1976. 183 p., nombr. ill. Bibliogr.

Buckland, Gail. *Fox Talbot and the invention of photography*. Boston : David R. Godine, 1980. 216 p. Bibliogr., index.

Émile-Zola (François). *Zola photographe*. Paris : Denoël, 1979, 192 p., 480 ill.

Écrits théoriques du XXᵉ siècle

Rodtchenko, Alexandre. *Ecrits complets sur l'art, l'architecture et la révolution*. Introduction par Brigitte Hermann. Paris : Philippe Sers éditeur, 1985. 269 p., ill.

Kandinsky, Wassily. *Du Spirituel dans l'art et dans la peinture en particulier*. Préface de Philippe Sers. Paris : Denoël, 1989. 214 p., ill.

Kandinsky, Wassily. *Point-Ligne-Plan*, dans *Ecrits complets*, II La Forme. Edition établie et présentée par Philippe Sers. Paris : Denoël-Gauthier, 1970. 408 p.

Moholy-Nagy, Lazlo. *Malerei, Photographie, Film*. Munich, 1925.

Crédits photographiques :

Bath, Royal photographic Society
56, 96
Bradford, National Museum of Photography
241
Colmar, Archives Départementales du Haut-Rhin
176, 177
Edimbourg, Scottish National Portrait Gallery
107, 108, 109, 111
Hambourg, Werner Bokelberg
11, 53, 110
Malibu, J. Paul Getty Museum
54, 55
Montréal, Centre Canadien d'Architecture
64, 65, 91, 247, H.C. 1, 2 et 3.
New York, Gilman Paper Company
52, 58, 82, 99, 155, 156, 183, 224, 246, 252
New York, Hans P. Kraus Jr.
19, 20, 21
New York, Metropolitan Museum of Art
59, 92, 178, 237
New York, Museum of Modern Art
13, 16, 98, 215, 233, 234, 235, 236, H.C. 4
Ottawa, Musée des beaux-arts du Canada
18, 38, 154, 239, 240
Paris, Bibliothèque Nationale (Service Photographique)
3, 6, 9, 14, 15, 23, 39, 41, 42, 43, 44, 45, 46, 60, 68, 69, 70,
71, 73, 74, 75, 76, 77, 83, 86, 87, 93, 94, 97, 100, 120, 121,
130, 131, 132, 133, 134, 135, 179, 187, 188, 207, 225, 228,
242, 243, 244, 245, 272, 278, 279, 280
Paris, Collège de France
157, 158, 159, 160, 161
Paris, Ecole Nationale Supérieure des Beaux-Arts
78, 79
Paris, Bibliothèque Forney
226

Paris, Association des Amis de Jacques-Henry Lartigue
126, 127, 128, 129
Paris, Musée d'Orsay (Patrice Schmidt, Jean-Jacques Sauciat,
Alexis Brandt)
1, 4, 5, 6, 7, 8, 10, 12, 22, 30, 31, 34, 35, 37, 48, 49, 50, 51,
57, 61, 62, 63, 65 bis, 72, 90, 103, 105, 106, 116, 117, 122,
123, 124, 125, 136, 137, 138, 139, 140, 141, 142, 143, 144,
145, 146, 147, 148, 149, 162, 163, 164, 165, 166, 168, 169,
170, 171, 172, 173, 174, 175, 180, 181, 182, 184, 186, 190,
191, 198, 199, 200, 201, 208, 238, 248, 249, 251, 258, 260,
261, 262, 263, 264, 265, 267, 268, 269, 273, 274, 276
Paris, Service Photographique de la Réunion des musées
nationaux (Ch. Jean, M. Bellot, G. Blot, H. Lewandousky)
2, 24, 25, 26, 27, 28, 29, 33, 40, 80, 81, 85, 88, 89, 104, 114,
115, 118, 153, 167, 185, 189, 192, 197, 206, 211, 216, 217,
218, 219, 220, 221, 222, 223, 227, 229, 250, 253, 256, 257,
275
Paris, Société Française de Photographie
32, 36, 47, 84, 95, 101, 102, 119, 150, 151, 152, 209, 210,
259
Paris, Photothèque de la Brigade des Sapeurs-Pompiers
270
Paris, Joachim Bonnemaison
266, 271
Paris, Jean Dubout
193
Rochester, International Museum of Photography at George
Eastman House
17, 66, 67, 112, 113, 212, 213
Rome, Fondation Primoli
202, 203, 204, 205
Washington, Library of Congress
194, 195, 196
Washington, National Gallery of Art
230, 231, 232
Washington, National Portrait Gallery
255

Cet ouvrage a été achevé d'imprimer le 25 septembre 1989
sur les presses de l'Imprimerie Blanchard fils au Plessis-Robinson
d'après les maquettes de Bruno Pfäffli

Le texte a été composé en Walbaum
par Bussière Arts Graphiques

Photogravure en bichromie par SRG,
le papier a été fabriqué par Job·

Dépôt légal septembre 1989
ISBN 2-7118-2308-3
EC 30 2308